儿童成语知识大全

成语游戏

总策划｜邢　涛
主　编｜龚　勋

汕頭大學出版社

前言

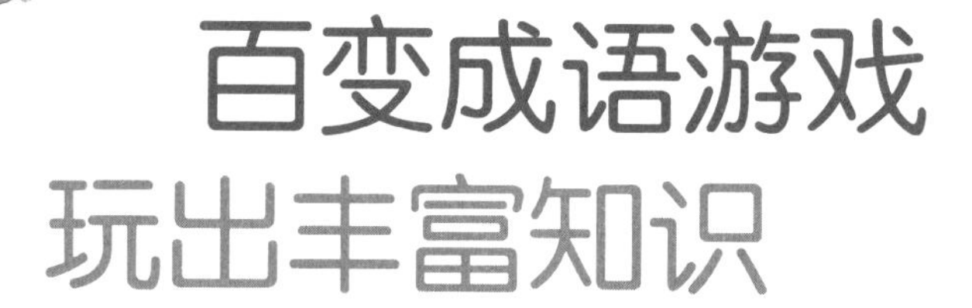

百变成语游戏 玩出丰富知识

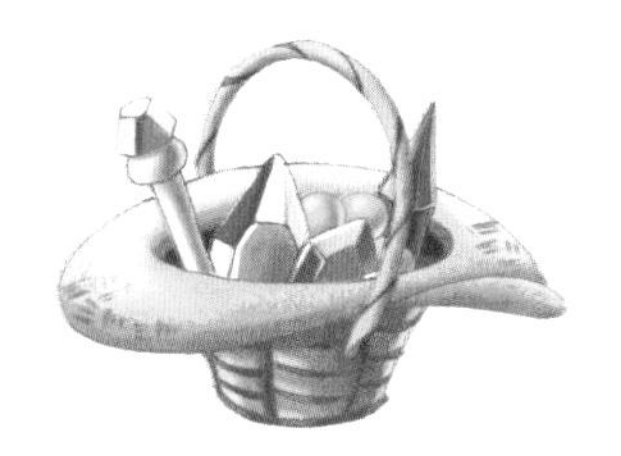

成语是我国五千年文化的浓缩体现，是汉语言的古典精华，蕴涵着丰富的意象和深远的含义。可是，学习成语对我们来说，确实有些困难。怎么能既不费力又牢固地掌握成语呢？试试成语游戏吧！

别人都为成语愁，我学成语有劲头！别人还在为学成语焦头烂额，你却可以另辟蹊径！帮小动物们找到回家的路，在迷雾重重的道路中辨别成语；跟大诗人去游山玩水，在吟诗作赋中记忆成语；和小朋友们去做游戏，在弹弹珠、捉迷藏中巩固成语……边玩边学，你可以做到！这是个奇妙的世界，翻开本书，去领略成语世界的万紫千红吧！

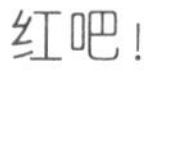

【阿“二”搭楼梯】

● 小明要爬到楼上去拿蔬菜，可是楼梯不稳固。小朋友，请帮帮小明，在方格里填上正确的字，使每一行都组成成语，把楼梯搭牢吧！

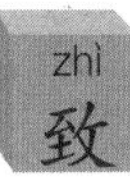

èr 二		míng 明	yuè 月
	èr 二	lián 连	sān 三
		èr 二	zhì 致
dú 独			èr 二

【阿拉伯数字变成语】

● 看看数字提示，你能猜出这是哪些成语吗？

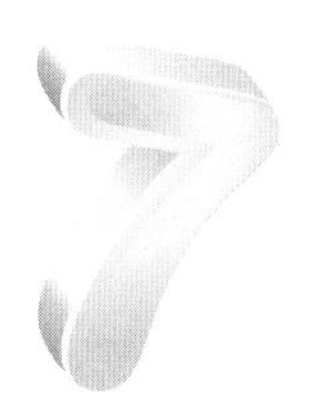

333 555	sān 三 wǔ 五（　）（　）
1+2+3	（　）èr 二（　）sān 三
1×1=1	yì 一（　）（　）（　）
1234560 9	qī 七（　）bā 八（　）

【拜访历史名人】

● 许多成语都是由历史故事演变来的，看看下面这些成语中的历史名人都是谁？

jué xián　mèng dié　jiù fù

(　)(　)绝弦　(　)(　)梦蝶　(　)(　)救父

gē xí　shā rén　guī　suí

(　)(　)割席　(　)(　)杀人　(　)规(　)随

zhī xīn　lù rén jiē zhī　sān gè chòu pí jiàng shèng guò yí gè

(　)(　)(　)之心，路人皆知　三个臭皮匠 胜过一个(　)(　)(　)

shǔ zhōng wú dà jiàng　zuò xiān fēng　chéng yě　bài yě

蜀中无大将，(　)(　)作先锋　成也(　)(　)，败也(　)(　)

【背靠背】

● 下面这些成语都是带有"背"的成语，把空填好，再把成语跟"背"的不同含义连起来。

tóu míng　qì yì　rú liú

(　)(　)投明　(　)(　)弃义　(　)(　)如流

bèi duì zhe　bèi bù　bèi miàn　lí kāi　pāo qì　bèi sòng

背对着　背部　背面　离开　抛弃　背诵

hàn liú　lì tòu　shuǐ yí zhàn

汗流(　)(　)　力透(　)(　)　(　)水一战

【被蒙蔽的眼睛】

● 睁大眼睛看看这些被打乱的部首，它们能组成哪个成语呢？

立	山	夕
而	亦	匕
夕	亻	又

dá àn
答案：________

【比大小】

● 在括号里填上合适的字补齐成语，然后比比它们的大小，在横线上画上>，<或=吧！

luò píng yáng　　　　　　　　dāi ruò mù
(　)落平阳 ________ 呆若木(　)

yú gōng yí　　　　　　　　　guāng yīn sì
愚公移(　) ________ 光阴似(　)

fēng chuī dòng　　　　　　　xiōng yǒu chéng
风吹(　)动 ________ 胸有成(　)

cāng hǎi yī　　　　　　　　　shí nián shù　bǎi nián shù rén
沧海一(　) ________ 十年树(　)，百年树人

nà bǎi chuān　　　　　　　　guāng shān sè
(　)纳百川 ________ (　)光山色

lǐ dài jiāng　　　　　　　　lǐ zhēng yán
李代(　)僵 ________ (　)李争妍

【比喻小讲堂】

●你会运用比喻修辞吗？许多我们熟知的成语也含有比喻，快来这里试一试吧！

胆小(dǎn xiǎo)（ ）（ ）　（ ）（ ）如洗(rú xǐ)　料事(liào shì)（ ）（ ）

对答(duì dá)（ ）（ ）　（ ）（ ）如土(rú tǔ)　铁证(tiě zhèng)（ ）（ ）

（ ）（ ）如焚(rú fén)　巧舌(qiǎo shé)（ ）（ ）　如履(rú lǚ)（ ）（ ）

（ ）（ ）中天(zhōng tiān)　势如(shì rú)（ ）（ ）　骨瘦(gǔ shòu)（ ）（ ）

（ ）（ ）如雷(rú léi)　心乱(xīn luàn)（ ）（ ）　高手(gāo shǒu)（ ）（ ）

【变形金刚】

●下面的“天书”你能看得懂吗？这其实是一个打乱了部首的成语，请你重新拆分、组合一下，一定能把这个“变形金刚”变回原形的！

⿱竹口　⿰氵寸　姶　⿰又㐬

答案(dá àn)：________

【兵器谱】

● 在括号里填上合适的字补齐成语，来看看古代的兵器谱吧！

dì yī zǔ
第一组：

lín zhèn mó　jīng　zhī niǎo　shān huǒ hǎi　kè zhōu qiú
临阵磨(　　)　惊(　　)之鸟　(　　)山火海　刻舟求(　　)

kǒu mì fù　bēi　shé yǐng　àn　shāng rén　yí　shuāng diāo
口蜜腹(　　)　杯(　　)蛇影　暗(　　)伤人　一(　　)双雕

guī xīn sì　qiáng　zhī mò
归心似(　　)　强(　　)之末

dì èr zǔ
第二组：

guāng　yǐng　bá　zhāng
(　　)光(　　)影　(　　)拔(　　)张

lín　yǔ　chún　shé
(　　)林(　　)雨　唇(　　)舌(　　)

【部首大变身】

● 看看花朵中零碎的部首，你能把它们拼成一个完整的成语吗？

罙　青　氵　忄

亻　氵　每　以

dá àn
答案：________

【彩旗飘飘】

● 与“旗”有关的成语你知道多少？你能把正确的词语填入括号吗？

(　　)张(zhāng)旗(qí)鼓(gǔ)　旗(qí)开(kāi)(　　)(　　)　旗(qí)鼓(gǔ)(　　)当(dāng)　摇(yáo)(　　)呐(nà)喊(hǎn)

旌(jīng)旗(qí)蔽(bì)(　　)　偃(yǎn)(　　)息(xī)(　　)　重(chóng)整(zhěng)(　　)(　　)　拔(bá)(　　)易(yì)(　　)

【藏着的成语】

● 你能看出这张图的秘密吗？里面藏着五个成语，找找规律，把它们按顺序写出来吧。

ēn 恩	zhòng 重	rú 如	shuǐ 水
shuǐ 水	qióng 穷	shān 山	zhǐ 止
jìn 尽	lì 力	bù 不	rú 如
xīn 心	jìn 尽	cóng 从	xīn 心

《成语猜猜猜》

● 根据左侧的幽默提示，把右侧的成语补全吧！

幽默提示		成语
nài xīn guān kàn mó shù biǎo yǎn 耐心观看魔术表演	→	jìng guān qí 静观其（　　）
yūn dǎo 晕倒	→	wǔ tǐ 五体（　　）（　　）
guǎng chǎng kàn diàn yǐng 广场看电影	→	gòng dǔ （　　）（　　）共睹
lào bǐng 烙饼	→	fān lái 翻来（　　）（　　）
zuì jìn yǒu liú xíng xìng gǎn mào 最近有流行性感冒	→	bǎi jí 百（　　）（　　）集

《成语调色盘》

● 成语中也有色彩，请你把下面的六种颜色跟对应的成语连起来。

jīn 金　lán 蓝　zǐ 紫　bì 碧　lǜ 绿　hóng 红

□波荡漾（bō dàng yàng）　万□千红（wàn qiān hóng）　花□柳绿（huā liǔ lǜ）　纸醉□迷（zhǐ zuì mí）　筚路□缕（bì lù lǚ）　红男□女（hóng nán nǚ）

【词语窥真相】

● 看看下面四个关键词，你能猜出这是哪个成语吗？

xiě chū chéng yǔ
写出成语：________________

【聪明的小红帽】

● 大灰狼布下了成语迷阵，聪明的小红帽动了动脑筋，还是找到了去外婆家的路。你知道她是怎么做到的吗？把小红帽要走的路按顺序串起来吧！（提示：这是一道成语接龙题。）

xǔ 栩	mù 目	quán 全	fēi 非	tóng 同
xǔ 栩	miàn 面	yí 一	kāi 开	xiǎo 小
rú 如	shēng 生	jī 机	wǎng 网	kě 可
rán 然	bó 勃	bó 勃	dì 地	luó 罗
dà 大	nù 怒	qì 气	chōng 冲	tiān 天

【大眼水汪汪】

● 与眼睛有关的成语有很多，小朋友，睁大你的眼睛，去把这些与眼睛有关的成语补齐吧！

dì yī zǔ　guā mù xiāng　　zhōng wú rén　mù bù zhuǎn　　mù jié shé

第一组：刮目相（　）　（　）中无人　目不转（　）　（　）目结舌

ěr rú　rǎn

耳濡（　）染

dì èr zǔ　huǒ　jīn　méi kāi　xiào　bié jù huì　guò　yún yān

第二组：火（　）金（　）　眉开（　）笑　别具慧（　）　过（　）云烟

huí　yí xiào　lěng　páng guān　huà lóng diǎn

回（　）一笑　冷（　）旁观　画龙点（　）

【带你填量词】

● 你知道的量词有哪些？请把合适的量词填到下面的括号里。

xíng dān yǐng　shuǐ chē xīn　dān qiāng　mǎ

形单影（　）　（　）水车薪　单枪（　）马

yì　sǎn shā　dāng　duì　shě　zhú mò

一（　）散沙　（　）当（　）对　舍（　）逐末

yǒu　bù wěn　láng jí　shǒu kǒu rú

有（　）不紊　（　）（　）狼藉　守口如（　）

【地理小课堂】

● 把下面的地理事物跟相关的成语连起来吧！

chéng fēng pò　　dǒu zhuǎn yí　　fēng jiāo jiā　　juǎn cán yún
乘风破___　斗转___移　风___交加　___卷残云

   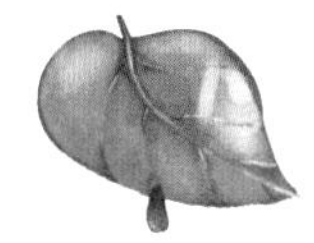  

rú zhōng tiān　　yùn ér fēng, chǔ rùn ér yǔ　　ní zhī bié
如___中天　___晕而风，础润而雨　___泥之别

【电话号码】

● 小杰要给好朋友小远打电话，却怎么也想不起电话号码。其实，小远的电话号码就藏在下面的成语中，补齐成语，帮小杰找到电话号码吧！

bàn jīn liǎng　　qīn bú rèn　　cái gāo dǒu　　xué fù chē
半斤___两　___亲不认　才高___斗　学富___车

gù máo lú　　xiāo yún wài　　chuí xián chǐ　　bù kě shì
___顾茅庐　___霄云外　垂涎___尺　不可___世

hào mǎ
号码：__________

【“叠家族”】

● 有一些成语是由两个字的词语叠加组成的，根据词语写写看，你能写出多少“叠家族”成员呢？

xī rǎng
熙攘→ ______

méng dǒng
懵懂→ ______

céng dié
层叠→ ______

qín kěn
勤恳→ ______

duān zhèng
端正→ ______

yuán běn
原本→ ______

fēn yáng
纷扬→ ______

lěng qīng
冷清→ ______

【东西南北】

● 看看下面的图形，猜猜这是哪个成语？提示一下，注意小狗和小猫的视线方向呀！

N

chéng yǔ
成语：______

【洞察世界名城】

●下面的成语中藏着许多世界名城的名字哟！看看这都是哪些城市吧！

①风__正茂　__气凌人　茅塞__开

②马__是瞻　__虞我诈　③得道__助　无与__比　博学__才

④星罗棋__　摧枯__朽　别具一__　⑤声色犬__　歌功颂__　__应外合

【杜甫请你来帮忙】

●大诗人杜甫写诗时忘记了一句诗，小朋友，从下面的每个成语中各挑出一个字，帮他组成一句完整的诗吧！

随心所欲　谈笑风生　潜滋暗长

不入虎穴焉得虎子　夜以继日

________，润物细无声。

【飞机上蓝天】

飞机就要起航啦！请你把空白处填上，让飞机通往蓝天的路畅通无阻！

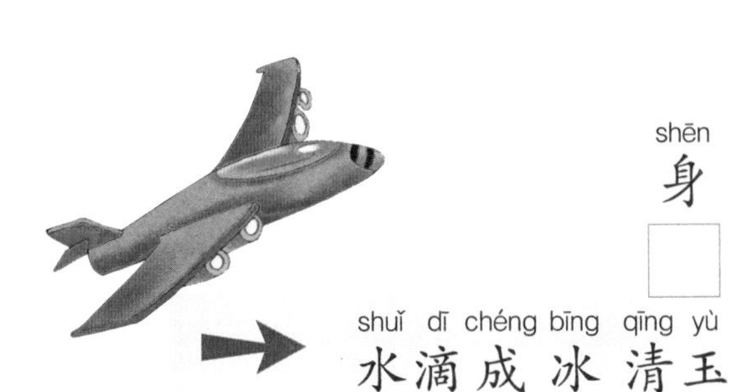

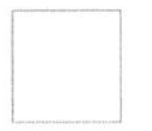

yú 鱼

chí 池

jí 及

shēn zì hào
身 自 好

□

yì 逸

shuǐ dī chéng bīng qīng yù
水 滴 成 冰 清 玉

□

mén shī huǒ yāng
门 失 火 殃

láo
劳

□

shī dòng □ zhì chéng
师 动 □ 志 成

【峰回路转】

下面四个成语都少了一个字，请你用“峰回路转”这个成语中的字，分别把它们补齐吧！

bù kān shǒu
不堪___首

mù bù jīng
目不___睛

guǎng kāi yán
广开言___

dēng zào jí
登___造极

【改古诗猜成语】

● 下面这些诗句中都有错误，小朋友，把错字改过来，根据改动的内容猜猜成语吧！

yuǎn shàng hán shān shuǐ jìng xié bái yún shēng chù yǒu rén jiā
远上寒山水径斜，白云生处有人家。______

qiāng dí hé xū yuàn yáng liǔ chūn fēng bú dù zhuān mén guān
羌笛何须怨杨柳，春风不度砖门关。______

xī rén yǐ chéng huáng hè qù cǐ tiān kōng yú huáng hè lóu
昔人已乘黄鹤去，此天空余黄鹤楼。______

【高手如云】

● 一次聚会上，各界高手都来了，赶快把他们跟对应的成语连起来吧！

kǒu ruò xuán hé
口若悬河

bǎi fā bǎi zhòng
百发百中

yú yīn rào liáng
余音绕梁

piān piān qǐ wǔ
翩翩起舞

【给成语找主人】

● 给这些成语找到正确的主人公吧！

gāo shān liú shuǐ　gōu huǒ hú míng　zhǐ lù wéi mǎ　kǒu mì fù jiàn　jiāng láng cái jìn

高山流水___　篝火狐鸣___　指鹿为马___　口蜜腹剑___　江郎才尽___

zhào gāo　lǐ lín fǔ　jiāng yān　chén shèng　yú bó yá　zhōng zǐ qī

A.赵高　B.李林甫　C.江淹　D.陈胜　E.俞伯牙、钟子期

【根据等式填成】

● 你知道汉字怎么加减吗？看看下面的等式，把成语补全了吧！

gǎn jī tì　fān yún fù　qiǎo yán　sè

感激涕(　　)=翻云覆(　　)+巧言(　　)色

yáng bǔ láo　chù mù jīng　dé yì　xíng

(　　)羊补牢+触目惊(　　)=得意(　　)形

fēng yǔ jiāo　bú zì liàng　ruò xuán hé

风雨交(　　)-不自量(　　)=(　　)若悬河

dān　jié lǜ　wú　zhī chuī　huáng bù jiē

殚(　　)竭虑-无(　　)之炊=(　　)黄不接

【故事小考场】

● 看看这幅图画，你知道这是什么成语故事吗？主人公是谁？

chéng yǔ gù shì
成语故事：________________

zhǔ rén gōng
主人公：____________________

【怪味接龙】

● 小朋友，你一定做过成语接龙吧！可是下面这种怪味接龙你会做吗？后一个成语开头的字，是前一个成语中间两个字中的一个。相信你一定都能填对！

【怪味填空】

你能把空填上，让下面这个方阵组成五个成语吗？

wàn 万		 yì/yí 一	 shī 失
	 shī 师	 dòng 动	 hún 魂
 jù 俱	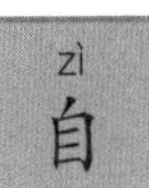 zì 自	 bú 不	
 huī 灰	 tōng 通		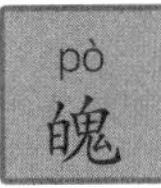 pò 魄

【关键词大交锋】

看看下面这几个关键词，你能猜出这是什么成语吗？

táng láng 螳螂　 chē zi 车子　 qián bì 前臂　bú zì liàng lì 不自量力

dá àn
答案：________

【广告大战】

● 许多广告中都有“改头换面”后的成语，标出下面这些广告词中的错字，写上正确的。

zì xíng chē guǎng gào cí　lè zài qí zhōng
自行车广告词：乐在骑中＿＿＿＿

diàn yùn dǒu guǎng gào cí　bǎi yī bǎi shùn
电熨斗广告词：百衣百顺＿＿＿＿

xǐ yī jī guǎng gào cí　xián qī liáng mǔ
洗衣机广告词：闲妻良母＿＿＿＿

bái jiǔ guǎng gào cí　tiān cháng dì jiǔ
白酒广告词：天长地酒＿＿＿＿

jiǔ diàn guǎng gào cí　shí quán shí měi
酒店广告词：食全食美＿＿＿＿

wén xiāng guǎng gào cí　mò mò wú wén
蚊香广告词：默默无蚊＿＿＿＿

jǐng bào qì guǎng gào cí　yì míng jǐng rén
警报器广告词：一鸣警人＿＿＿＿

【滚走的弹珠】

● 两个小朋友在玩成语弹珠，这8颗弹珠能组成一个完整的成语。但其中一颗不慎滚走了，赶紧帮他们找找那是写着哪个部首的弹珠吧！

【汉字魔法棒】

● 汉字魔法棒，变出成语来！看看下面各组汉字的变化，猜猜成语吧！

dì yī zǔ nǐ é
第一组：你→俄 ______

dì èr zǔ qín qín
第二组：禽→擒 ______

dì sān zǔ cuì xìng
第三组：悴→性 ______

dì sì zǔ bǎi jù
第四组：佰→俱 ______

【好朋友，拉手走】

● 意思相近的汉字好朋友常常出现在同一个成语里。快去看看成语中都有哪些好朋友吧。

（ ）涛（ ）浪 眉（ ）眼（ ） （ ）文（ ）字
tāo làng méi yǎn wén zì

（ ）枪（ ）马 （ ）行（ ）施 （ ）声（ ）语
qiāng mǎ xíng shī shēng yǔ

眼（ ）手（ ） （ ）衣（ ）食 生（ ）死（ ） （ ）钉（ ）铁
yǎn shǒu yī shí shēng sǐ dīng tiě

【猴子摘桃】

● 小猴要摘几个“聪明桃”回家，可是它不知道哪些是“聪明桃”，哪些是“愚笨桃”，快帮它在想要的桃子前面画上√。特别提示一下，注意看看桃子后面成语的意思呀！

bīng xuě cōng míng 冰雪聪明	xiù wài huì zhōng 秀外慧中	dāi tóu dāi nǎo 呆头呆脑
dà zhì ruò yú 大智若愚	bèn zuǐ zhuó shé 笨嘴拙舌	cōng míng líng lì 聪明伶俐
míng wán bù líng 冥顽不灵	huì zhì lán xīn 蕙质兰心	

tí shì xíng róng rén cōng míng de wéi cōng míng táo xíng róng rén yú bèn de wéi yú bèn táo
（提示：形容人聪明的为聪明桃，形容人愚笨的为愚笨桃。）

【[illegible]】

● 下面这些成语中都有“虎宝宝”，看看你知道多少带“虎”的成语吧。

lóng zhēng hǔ 龙争虎＿	lóng pán hǔ 龙盘虎＿	lóng hǔ yuè 龙＿虎跃	wò hǔ lóng 卧虎＿龙	rú láng 如狼＿＿
bú rù hǔ xué yān dé 不入虎穴，焉得＿＿	láng yàn 狼＿＿咽	hǔ luò 虎落＿＿	mǎ mǎ 马马＿＿	
fàng guī shān 放＿归山	hǔ kǒu yú 虎口余＿	rén chéng hǔ ＿人成虎	tán hǔ sè 谈虎色＿	wèi hǔ zuò 为虎作＿

【花儿朵朵】

● 把第一行和第二行的词语连起来，就能组成成语，给下面的每朵“花”找到合适的绿叶吧！

míng rì
明日

chūn nuǎn
春暖

huáng huā
黄花

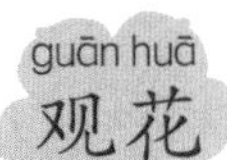

kāi huā
开花

【花花的大餐】

● 填上空，把小狗花花的大餐送到它面前吧！

【花园里的小园丁】

● 花园中各色鲜花盛开了，赶快把相应颜色的鲜花跟成语连起来吧！

fēi　　téng dá	tián shēng yù	qì dōng lái	yán bó mìng	zhuāng yù zhuó
飞□腾达	□田生玉	□气东来	□颜薄命	□妆玉琢

【化学实验】

● 化学是科学的一种。小朋友，你了解化学吗？在下面的横线上写上关于化学的词语，就能把成语补充完整。快去试试看吧！

qiān biàn wàn	yǐ zhì yòng	yì tuán hé	wú wán fū
千变万＿＿	＿＿以致用	一团和＿＿	＿＿无完肤
rù mù sān	xū wū yǒu	pán shí zhī	tiē rù wēi
入木三＿＿	＿＿虚乌有	磐石之＿＿	＿＿贴入微
yáng tāng zhǐ	shí chéng jīn	gōng dé wú	shuǐ chē xīn
扬汤止＿＿	＿＿石成金	功德无＿＿	＿＿水车薪
zuò chī shān	xiàng wàn qiān	jiè tí fā	rén shēn xǐng
坐吃山＿＿	＿＿象万千	借题发＿＿	＿＿人深省

【唤醒睡美人】

● 王子来到了城堡里，要念十句“成语咒语”才能唤醒睡美人，快帮他想想吧！

yí wàng wú 一望无□　èr rén tóng xīn, qí lì 二人同心，其利□□　sān □ liǎng duǎn 三□两短　sì □ wéi jiā 四□为家

wǔ gǔ 五谷□□　liù shén wú 六神无□　qī qiào shēng 七窍生□　bā □ líng lóng 八□玲珑　jiǔ xiāo □ wài 九霄□外

shí □ hán chuāng 十□寒窗

【回到公正堂】

● 公正堂主人“刚正不阿”有几个失散多年的亲人，他要把亲人们找回家。请你看看下面的成语，哪些是跟公正堂主人相似的好人？哪些是想混进去的坏人？提示：注意成语的含义哦！

gōng zhèng táng zhǔ rén gāng zhèng bù ē
公正堂主人：刚正不阿

yì zhèng cí yán 义正辞严	tiě miàn wú sī 铁面无私	xiǎo dù jī cháng 小肚鸡肠
bǐng gōng zhí fǎ 秉公执法	liǎng miàn sān dāo 两面三刀	guāng míng lěi luò 光明磊落

hǎo rén
好人：________________ 坏人：________________

【活学活用】

● 小朋友，你能从下面六个成语中，选出三个写成一段话吗？看看你能不能一下子出口成章！

fēng hé rì lì 风和日丽	shén cǎi fēi yáng 神采飞扬	bá shān shè shuǐ 跋山涉水
qì chuǎn xū xū 气喘吁吁	tài rán zì ruò 泰然自若	méi kāi yǎn xiào 眉开眼笑

____

【火车过隧道】

● 火车要穿过隧道啦，请你给它指出正确的路线吧！

→ 欣喜若（xīn xǐ ruò）□ 风暴（fēng bào）□ 打风（dǎ fēng）□ 灰之（huī zhī）□

不（bù）

从（cóng）□ 气平（qì píng）□ 色悦颜（sè yuè yán）←

【火箭升空】

● 科学家要发射火箭了！请你一起去检查一下，把火箭缺失的部件补齐吧！（提示：一列为一个成语。）

<table>
<tr><td></td><td></td><td></td><td>□</td><td></td><td></td><td></td></tr>
<tr><td></td><td></td><td>□</td><td>xiǎng
想</td><td>□</td><td></td><td></td></tr>
<tr><td></td><td>□</td><td>wǎng
往</td><td>tiān
天</td><td>dì
地</td><td>□</td><td></td></tr>
<tr><td>kāi
开</td><td>kāi
开</td><td>kāi
开</td><td>kāi
开</td><td>kāi
开</td><td>kāi
开</td><td>kāi
开</td></tr>
<tr><td>□</td><td>yǎn
眼</td><td>lái
来</td><td></td><td>huā
花</td><td>yán
言</td><td>□</td></tr>
<tr><td>jiàn
见</td><td>jiè
界</td><td></td><td></td><td></td><td>lù
路</td><td>bù
布</td></tr>
<tr><td>shān
山</td><td></td><td></td><td></td><td></td><td></td><td>gōng
公</td></tr>
</table>

【机灵的狗狗】

● 下面这些成语虽然都带“笑”，可有一个跟其他的都不同。赶紧带上机灵的狗狗，去找出它吧！

méi kāi yǎn xiào
眉开眼笑

喜笑颜开

yí xiào dà fāng
贻笑大方

谈笑风生

bù tóng de chéng yǔ
不同的成语：________________

wèi shén me bù tóng
为什么不同：________________

【机器猫找道具】

● 哆啦A梦的道具太多了，他不小心把几个道具名弄丢了！快把成语补全，填出的字就是道具名丢失的字。请你帮帮他吧！

dì yī zǔ　xiōng yǒu chéng
第一组：胸有成□　（__蜻蜓）

第二组：程□立雪　（随意__）
chéng　lì xuě

dì sān zǔ　cái gāo bā
第三组：才高八□　（透明__篷）

第四组：勃然□怒　（放__灯）
bó rán　nù

dì wǔ zǔ　huà bù tóu
第五组：话不投□　（时光__）

第六组：八□玲珑　（记忆__包）
bā　líng lóng

【几何图形的奥秘】

● 下面这个正方形中藏着四条成语，你能解开这一奥秘吗？

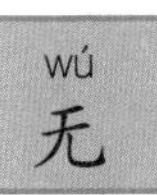 wú 无	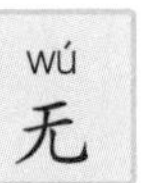 wú 无	gāo 高	
shēng 声		 xiào 效	 bèi 备
wú 无	 xíng 行	 xià 下	 huái 怀
	 xī 息	 xiāng 相	

【季节画卷】

● 下面这些成语各是描写哪个季节的？把它们跟对应的季节连起来吧！

jiāo yáng sì huǒ 骄阳似火　　niǎo yǔ huā xiāng 鸟语花香　　tiān hán dì dòng 天寒地冻　　jīn fēng sòng shuǎng 金风送爽

【浇灌农场】

● 小老鼠要打水浇灌农场，把下面带“水”字的成语补齐，帮它收集水吧！

___ ___不漏（bú lòu）	___ ___石穿（shí chuān）	___ ___石出（shí chū）	高山（gāo shān）___ ___
___ ___马龙（mǎ lóng）	___ ___车薪（chē xīn）	___ ___难收（nán shōu）	___ ___火热（huǒ rè）
___ ___楼台（lóu tái）	___ ___摸鱼（mō yú）	镜花（jìng huā）___ ___	

【金字塔迷】

● 从金字塔的中心出发，怎样才能顺畅地到达出口呢？请你把路线标出来吧！

【警犬闻一闻】

● 请你带着小警犬闻一闻残缺的成语，选择正确的字，补齐它们吧！

鼻（bí）□脸肿（liǎn zhǒng）　　□鼻而过（bí ér guò）　　开山鼻□（kāi shān bí）　　嗤之□鼻（chī zhī bí）

A.祖（zǔ）　B.掩（yǎn）　C.以（yǐ）　D.青（qīng）

【静夜思，思成语】

● 这首《静夜思》是用成语拼成的，根据提示看一看，你一定能把所有成语都填上！

坦腹（tǎn fù）__床（chuáng）　____直前（zhí qián）　黑白（hēi bái）__明（míng）　长年（cháng nián）__月（yuè）　暗淡（àn dàn）__光（guāng），

满腹（mǎn fù）__疑（yí）　实（shí）__求是（qiú shì）　昏（hūn）__黑地（hēi dì）　扶摇（fú yáo）__上（shàng）　____风霜（fēng shuāng），

____一举（yì jǔ）　____鳌头（áo tóu）　____所望（suǒ wàng）　冰（bīng）__聪明（cōng míng）　镜花（jìng huā）__月（yuè），

眼（yǎn）__手低（shǒu dī）　大难（dà nàn）__头（tóu）　匪夷（fěi yí）__思（sī）　一见（yí jiàn）__故（gù）　____离乡（lí xiāng）。

【九龙宫大逃亡】

● 小兔子不慎误入九龙宫，帮它找出逃出去的路吧。

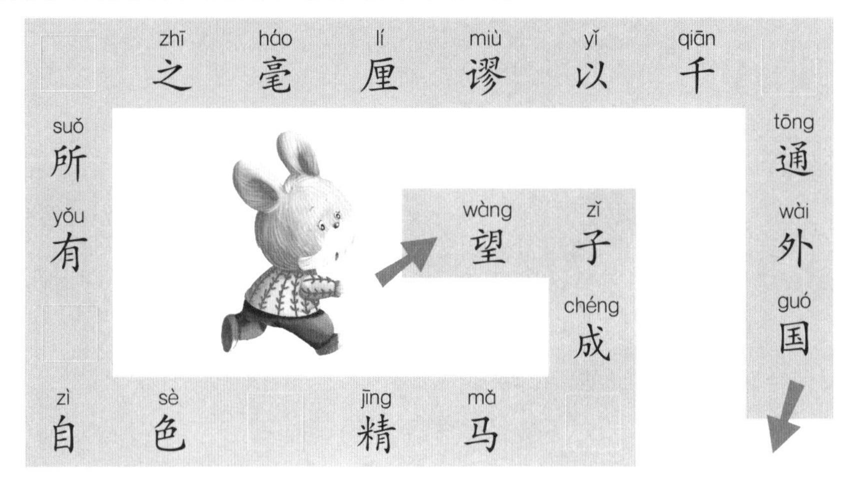

【举“一”反“四”】

● 给你一个字，你能根据它猜出一个四字成语吗？快去试试你“举一反四”的能力吧！

1. 泵（bèng）__________________　2. 呀（yā）__________________

3. 斌（bīn）__________________　4. 闹（nào）__________________

【卷尺量一量】

● 成语中也有很多长度单位，用你脑海中的小卷尺量一量，把下面的空格填上吧！

□□迢迢（tiáo tiáo）____拒人（jù rén）□□

不远（bù yuǎn）□□____鼠目（shǔ mù）□光（guāng）

得（dé）□进（jìn）□____□阴（yīn）□壁（bì）

行（xíng）□□者半九十（zhě bàn jiǔ shí）____□□长亭（cháng tíng）

火冒（huǒ mào）□□____□□和尚（hé shang）

【卷心菜大串联】

● 先把下面这个“成语卷心菜”补齐，再用一条线把它串联起来吧！

天（tiān） 高（gāo） 地（dì）

无（wú） □ 胜（shèng） 德（dé）

复（fù） 军（jūn） 将（jiāng） 载（zài）

反（fǎn） 必（bì） 极（jí） □

【开心猜成语】

● 根据有趣的提示，你能猜出它们表示的是什么成语吗？

1. 牙医牙痛（yá yī yá tòng）…………不能（bù néng）

2. 显微镜广告（xiǎn wēi jìng guǎng gào）…………□□不至（bú zhì）

3. 马戏团表演失败（mǎ xì tuán biǎo yǎn shī bài）…………人（rén）□马（mǎ）□

4. 除夕夜家家户户包饺子（chú xī yè jiā jiā hù hù bāo jiǎo zi）…………无所不（wú suǒ bù）□

● 快来开心牧场领养动物吧！把动物连到对应的成语中！

塞翁失__（sài wēng shī）　顺手牵__（shùn shǒu qiān）　汗__充栋（hàn chōng dòng）　__尾续貂（wěi xù diāo）　放__归山（fàng guī shān）　鹤立__群（hè lì qún）

【开心小农夫】

● 你知道与农业相关的成语吗？快跟开心小农夫学习一下吧！

zhào fēng nián (　)(　)兆丰年	gǔ fēng dēng (　)谷丰登	duàn sī lián (　)断丝连	shùn mō 顺(　)摸(　)
hú lún tūn 囫囵吞(　)	gǔn làn shú 滚(　)烂熟	huǒ zhōng qǔ 火中取(　)	miàn yǒu sè 面有(　)色

【看变化猜成语】

● 看看下列字的变化，它们表现的分别是右侧的哪个成语？

yà yǎ 亚→哑	jiā pò rén wáng 家破人亡
pí pī 疲→披	méi lái yǎn qù 眉来眼去
pàn bàn 判→半	shǒu dào bìng chú 手到病除
jiā zhú 家→逐	yǒu kǒu nán yán 有口难言
lèi méi 泪→湄	yì dāo liǎng duàn 一刀两断

【看词说成语】

● 你了解成语的典故吗？根据下面四个关于成语典故的提示词，在横线上填写正确的成语。

dōng hàn mò nián ①东汉末年　zhū gě liàng ②诸葛亮　liú bèi ③刘备　chū shān ④出山

dá àn 答案：________________

【看看这是谁】

● 把这些成语跟它们的主人公连起来吧！

zhǔ dòu rán qí 煮豆燃萁	cáo zhí 曹植
pò fǔ chén zhōu 破釜沉舟	zǔ tì 祖逖
fù jīng qǐng zuì 负荆请罪	xiàng yǔ 项羽
wén jī qǐ wǔ 闻鸡起舞	lián pō 廉颇

【看图说故事】

小朋友，看看这张图，你能猜出是哪个成语吗？把成语故事简单地讲出来吧。

gù shi cóng qián yǒu yí gè yǒu yì tiān tā kàn
故事：从前有一个＿＿＿，有一天，他看

dào yì zhī zhuàng dào le shang yú shì tā
到一只＿＿＿撞到了＿＿＿上，于是，他

jiǎn qǐ huí jiā le cóng cǐ yǐ hòu tā měi tiān
捡起＿＿＿回家了。从此以后，他每天

dōu dàn shì tā zài yě méi yǒu kàn dào mù zhuāng ér qiě yóu yú
都＿＿＿＿＿。但是，他再也没有看到＿＿＿＿木桩，而且由于

tā de tián dì yě
＿＿＿＿＿，他的田地也＿＿＿＿。

chéng yǔ
成语：＿＿＿＿＿＿

【看我七十二变】

在有些成语中，四个字的部首都是一样的。请你根据给出的部首提示，变出成语吧！

bō xiōng
氵→波＿＿汹＿＿

chī wǎng liǎng
鬼→魑＿＿魍魉

chōu dā
扌→抽＿＿搭＿＿

jīng wèi
氵→泾＿＿渭＿＿

yí shì yí
宀→宜室宜＿＿

xiōng yǒng
氵→汹涌＿＿＿＿

【快乐拼图】

这些与狗有关的成语，可以拼成一只小狗呢！赶快填填看吧！

gǒu jūn shī　gǒu kàn rén dī　gǒu lǐ tǔ bù chū xiàng yá　láng xīn gǒu
狗（　）军师　狗（　）看人低　狗（　）里吐不出象牙　狼心狗（　）

gǒu bāo tiān　gǒu xù diāo　quǎn jiāo cuò
狗（　）包天　狗（　）续貂　犬（　）交错

gǒu pēn tóu　guà yáng tóu mài gǒu　gǒu gāo yào
狗（　）喷头　挂羊头卖狗（　）　狗（　）膏药

【来写百家姓】

在下面的括号中填入百家姓中的姓氏，组成成语。

rén mǎi lǚ　hóu jiàng xiàng　tóu táo bào
（　）人买履　（　）侯将相　投桃报（　）

míng luò shān　àn dù cāng
名落（　）山　暗度（　）仓

wán bì guī　fáng wēi jiàn
完璧归（　）　防微（　）渐

xīn chén dài　lǎo shí tú
新陈代（　）　老（　）识途

【老狼老狼几点啦？】

你一定玩过“老狼老狼几点啦”的游戏吧！那你知道这些成语表示的时间大约是什么时候吗？把它们跟最恰当的时间连起来吧！

rì shàng sān gān　xù rì dōng shēng　bǐng zhú dài dàn　bàn yè sān gēng　liè rì dāng kōng　yuè bái fēng qīng
日上三竿　旭日东升　秉烛待旦　半夜三更　烈日当空　月白风清

bàn yè diǎn　wǎn shang diǎn　shàng wǔ diǎn　zhōng wǔ diǎn　shàng wǔ diǎn　líng chén diǎn
半夜12点　晚上10点　上午6点　中午12点　上午10点　凌晨4点

【连等式】

来做一做成语连等式吧！把正确的数填入括号，组成成语，让连等式成立。

rén yì jǐ　huǒ jí　jūn yí fà　xíng bǎi lǐ zhě bàn
人一己(　)=(　)火急÷(　)钧一发=行百里者半(　)

nián hán chuāng
+(　)年寒窗

shí quán　měi　xué fù　chē　xīn wú　yòng
十全(　)美=学富(　)车×心无(　)用

chǐ gān tóu　yí mù　xíng
=(　)尺竿头÷一目(　)行

【辽阔草原】

● 下面是一片辽阔的成语草原，你能把这些含有“草”字的成语都填上吗？

jiē bīng	cǎo cǎo	jiān rén mìng	bù shēng
＿＿皆兵	草草＿＿	＿菅人命	＿＿不生
cùn chūn huī	xián huán	jīng shé	jí fēng
寸＿春晖	＿＿衔环	＿＿惊蛇	疾风＿＿
rú yīn	qí huā	chú gēn	cǎo yīng fēi
＿＿如茵	奇花＿＿	＿＿除根	草＿莺飞

【林间小路】

● 去往树林有两条由成语组成的小路，小朋友，把它们补全吧！看一看，走哪一条更近呢？

xiá ěr wén míng
遐迩闻名

míng fù qí ○ shì qiú ○ gǔ fēi ○ fēi xī ○ quán liàng ○
名副其○ 事求○ 古非○ 非昔○ 权量○

míng mǎn tiān
名满天○

gōng ○ xíng
公○行

bù wéi ○
不为○

bèi gōng
○倍功

xìn bàn ○
○信半○

【六字闯关】

● 六个字的成语你知道多少？赶紧去闯关吧，看看你能闯到最后吗？

第一关 (dì yī guān)

言必__，行必__ (yán bì　xíng bì)

眼中钉，肉中__ (yǎn zhōng dīng　ròu zhōng)

一不做，二不__ (yī bú zuò　èr bù)

一是__，二是__ (yī shì　èr shì)

此一时，彼__ __ (cǐ yì shí　bǐ)

有__者事竟成 (yǒu　zhě shì jìng chéng)

第二关 (dì èr guān)

有眼不识__ __ (yǒu yǎn bù shí)

__ __不怕火炼 (bú pà huǒ liàn)

坐收__ __之利 (zuò shōu　zhī lì)

太岁头上__ __ (tài suì tóu shàng)

天有不测__ __ (tiān yǒu bú cè)

天无__ __之路 (tiān wú　zhī lù)

第三关 (dì sān guān)

英雄所见__ __ (yīng xióng suǒ jiàn)

百__不如一__ (bǎi　bù rú yī)

无所不用__ __ (wú suǒ bú yòng)

毕其功于__ __ (bì qí gōng yú)

__ __步笑百步 (bù xiào bǎi bù)

哀莫大于__ __ (āi mò dà yú)

【龙的传人】

● 龙在我国象征着吉祥、尊贵。根据下列词组的意思和提示，在括号里补齐带“龙”的成语。

笔势活泼（bǐ shì huó pō）→笔走（bǐ zǒu）（ ）（ ）　怀才不遇（huái cái bú yù）→卧虎（wò hǔ）（ ）（ ）

凶险地方（xiōng xiǎn dì fang）→（ ）（ ）虎穴（hǔ xué）　竞赛激烈（jìng sài jī liè）→（ ）（ ）虎斗（hǔ dòu）

似爱非爱（sì ài fēi ài）→叶公（yè gōng）（ ）（ ）　生气勃勃（shēng qì bó bó）→（ ）（ ）活虎（huó hǔ）

● 在“龙凤齐飞”成语接龙中，每组两个成语，第一个成语的字头和第二个成语的字尾是同一个字；前一组第一个成语的第二个字为下一组成语的首字。快去检验一下你的成语能力吧！

一表人才（yì biǎo rén cái），心口如一（xīn kǒu rú yī）→（ ）（ ）不一（bù yī），为人（wéi rén）（ ）（ ）

里应外合（lǐ yìng wài hé），拒人千里（jù rén qiān lǐ）→（ ）（ ）尽有（jìn yǒu），有求（yǒu qiú）（ ）（ ）

有名无实（yǒu míng wú shí），绝无仅有（jué wú jǐn yǒu）→（ ）（ ）虚传（xū chuán），师出（shī chū）（ ）（ ）

【龙宫探宝】

● 金鱼晶晶来到龙宫探宝，龙王告诉它四个盒子里只有一个有宝物。根据四个盒子上的成语，帮它判断一下，在正确的成语前的○里打上√。

○ lǚ jiàn bù xiān 屡见不鲜　○ fèng máo lín jiǎo 凤毛麟角　○ bù zú wéi qí 不足为奇　○ sī kōng jiàn guàn 司空见惯

【龙虎斗】

● 看看这些趣味“龙虎斗”吧，把它们和对应的成语连起来。

lóng hé hǔ dǎ jià 龙和虎打架	shēng lóng huó hǔ 生龙活虎
lóng hé hǔ cān jiā yùn dòng huì 龙和虎参加运动会	hǔ bù lóng xíng 虎步龙行
lóng hé hǔ de jiā 龙和虎的家	lóng zhēng hǔ dòu 龙争虎斗
lóng hé hǔ dà bìng chū yù 龙和虎大病初愈	lóng téng hǔ yuè 龙腾虎跃
lóng hé hǔ wán zhuō mí cáng 龙和虎玩捉迷藏	hǔ jù lóng pán 虎踞龙盘
lóng hé hǔ jié bàn lǚ yóu 龙和虎结伴旅游	cáng lóng wò hǔ 藏龙卧虎

【露马脚】

● 下面这些成语是森林里四个小动物家的门牌号，它们都号称自己是善良的动物，你能根据成语门牌推断出谁不是善良的小动物吗？

miào shǒu huí chūn　　xīn líng shǒu qiǎo　　mián lǐ cáng zhēn

妙手回春　　心灵手巧　　绵里藏针　　

【孪生兄弟】

● 看看这些汉字中的“孪生兄弟”，它们都在哪些成语中出现呢？

péng　mǎn zuò　hū　huàn yǒu　hū　yǐn bàn　wéi jiān

朋→ ＿＿＿＿满座　呼＿＿唤友　呼＿＿引伴　＿＿＿＿为奸

lín　dàn yǔ　zhǐ jiàn shù mù　bú jiàn　zǒng zǒng

林→ ＿＿＿＿弹雨　只见树木，不见＿＿＿＿　＿＿＿＿总总

cóng　jì yì　wéi mìng　xǐ　tiān jiàng　rú liú

从→ ＿＿＿＿计议　惟命＿＿＿＿　喜＿＿天降　＿＿＿＿如流

yǔ　guān jīn　lín qián　shā　ér　jí guāng piàn

羽→ ＿＿＿＿纶巾　鳞潜＿＿＿＿　铩＿＿而＿＿　吉光片＿＿

【马虎的晨晨】

星期天，晨晨自己在家，不小心闯了祸。用下面的成语来讲讲到底发生了什么事吧！

jīn tiān shì yí gè de xīng qī tiān bà ba mā ma dōu chū qu le chén chen zì jǐ zài jiā
今天是一个(　)的星期天。爸爸妈妈都出去了，晨晨自己在家。

tā hěn kuài xiě wán le zuò yè jiù zài kè tīng li wán le qǐ lái kě zhēn shì wán de zhèng dāng
她很快写完了作业，就在客厅里玩了起来，可真是玩得(　)。正当

tā zhuǎn shēn zhǔn bèi lí kāi kè tīng shí tū rán tīng dào pēng de yì shēng chén
她转身准备离开客厅时，突然听到“砰”的一声。晨

chen zhuǎn tóu yí kàn yuán lái tā yí bù xiǎo xīn bǎ mā ma zuì xǐ huan
晨转头一看，(　)，原来她一不小心把妈妈最喜欢

de huā píng pèng fān shuāi suì le gāi zěn me bàn ne tā de zhàn le
的花瓶碰翻、摔碎了。该怎么办呢？她(　)地站了

yí huìr jué dìng xiān shōu shi hǎo suì piàn děng mā ma huí
一会儿，决定先收拾好碎片，等妈妈回

lai zài zhǔ dòng chéng rèn cuò wù
来再主动承认错误。

shǒu zú wú cuò　yáng guāng míng mèi
A.手足无措　B.阳光明媚

xìng gāo cǎi liè　dà jīng shī sè
C.兴高采烈　D.大惊失色

【毛毛虫转圈】

● 你知道盲从的毛毛虫吗？如果一只毛毛虫在花盆边上爬，其他毛毛虫也会跟着转圈。下面这个成语接龙，就是四只"转圈的毛毛虫"。去把它们补齐吧！

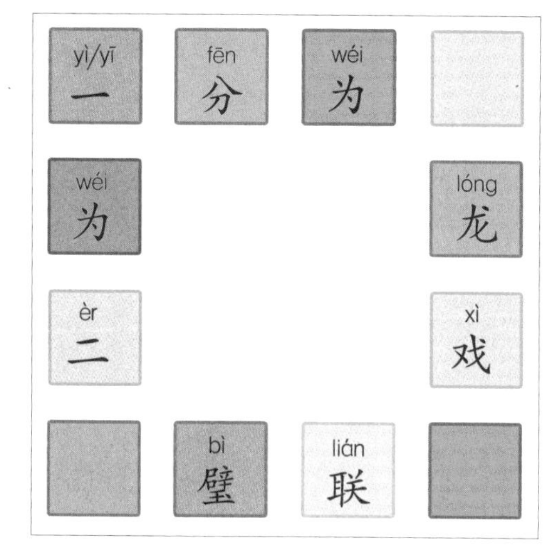

【美食餐桌】

● 去成语里面寻找美食吧！请你把下面这些带食物的成语补全。

____ 朋友(péng yǒu)　　____ 之乡(zhī xiāng)

粗(cū)__ 淡(dàn)__　　__ 池(chí)__ 林(lín)

____ 丰登(fēng dēng)　　__ 熟蒂落(shú dì luò)

硕(shuò)__ 仅存(jǐn cún)　　雨后(yǔ hòu)____

【迷路的小动物】

● 下面这些小动物迷路了，请你把它们带回原来的地方吧！

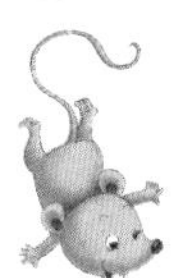

○狈为奸（bèi wéi jiān）	○目寸光（mù cùn guāng）	○急跳墙（jí tiào qiáng）	对○弹琴（duì tán qín）
龙腾○跃（lóng téng yuè）	画○添足（huà tiān zú）	守株待○（shǒu zhū dài）	亡○补牢（wáng bǔ láo）

【妙手天使】

● 小朋友，请你做个妙手小天使，在空白的星星上写一个部首，让 8 颗星星上的偏旁部首恰好能组成一个成语。

欠　犭　王　艹　　斤　壴　口

【名字乐园】

● 许多家长都喜欢把成语稍作变化，作为孩子的名字。小朋友，你知道下面这些名字是从哪些成语来的吗？

dù péng chéng 杜鹏程←péng chéng 鹏程____　　chén hé yán 陈和颜←hé yán 和颜____　　wáng rèn zhòng 王任重←rèn zhòng 任重____

liú hǎi sù 刘海粟←__hǎi 海__sù 粟　　dīng huì zhōng 丁慧中←____huì zhōng 慧中　　gān rú yí 甘如饴←gān 甘__rú yí 如饴

jiāo ruò yú 焦若愚←____ruò yú 若愚　　sū míng jìng 苏明镜←míng jìng 明镜____　　zhāng hóng hú 张鸿鹄←hóng hú 鸿鹄____

【明月高悬】

● 月亮在我国古代有很深的文化含意，与月亮有关的成语也有很多。找找规律，把下面这些与月亮有关的成语补齐吧！

   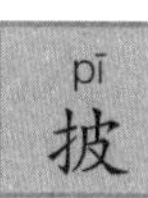

yuè 月		rì 日	pī 披
luò 落	yuè 月	xīn 新	
	rú 如	yuè 月	dài 戴
chén 沉	suō 梭		yuè 月

【魔力衣橱】

● 成语的圆圈中分别是什么颜色的字呢？把穿着相应颜色的女孩跟成语连接起来吧！

shǒu qǐ jiā	dǎn zhōng xīn	cǎo rú yīn	liáng yí mèng	chà yān hóng
○手起家	○胆忠心	○草如茵	○粱一梦	姹○嫣红

【脑力连线】

● 小朋友，根据下面这幅图片的提示，你能想到什么成语？提示一下，图片中的两种事物在成语中都出现了。

chéng yǔ
成语：________________

【你猜我猜大家猜】

●根据第一行给出的四字词语，猜一猜它们表示的是哪个成语。将它们跟下边一行中对应的成语连起来。

yǎ ba shuō huà 哑巴说话　biàn zòu wéi chūn 变“奏”为“春”　jǔ qí bú dìng 举棋不定　zhǐ zuò kǒu xíng 只做口型

suí shēng fù hè 随声附和　xià luò bù míng 下落不明　zhǐ shǒu huà jiǎo 指手画脚　tōu tiān huàn rì 偷天换日

【你来我去】

●看一看下面诗句中有什么错误，把错误改过来后，你能猜出什么成语？

bù shí lú shān zhēn tóu mù　zhǐ yuán shēn zài cǐ shān zhōng
不识庐山真头目，只缘身在此山中。　___gǎi wéi 改为___　chéng yǔ 成语：______

wèn qú nǎ dé qīng rú xǔ　wéi yǒu yuán tóu sǐ shuǐ lái
问渠那得清如许，为有源头死水来。　___gǎi wéi 改为___　chéng yǔ 成语：______

gū fān jìn yǐng bì kōng jìn　wéi jiàn cháng jiāng tiān jì liú
孤帆近影碧空尽，唯见长江天际流。　___gǎi wéi 改为___　chéng yǔ 成语：______

【你提问，我来猜】

● 看看下面几个词语提示，你能猜出这是哪个成语吗？

A. 南郭先生（nán guō xiān sheng）　　B. 合奏（hé zòu）

C. 吹竽（chuī yú）　　D. 独奏（dú zòu）

答案（dá àn）：__________

【浓缩“橙汁”】

● 很多成语是经过长时间精炼而成的。如果我们知道原来句子的意义，对理解成语一定更有帮助。这些是“原橙汁”——成语的原句，你能写出“浓缩橙汁”——现在用的成语吗？

①车如流水马如龙（chē rú liú shuǐ mǎ rú lóng）→(　　　　)

②一日不见，如隔三秋（yí rì bú jiàn rú gé sān qiū）→(　　　　)

③春宵一刻值千金（chūn xiāo yí kè zhí qiān jīn）→(　　　　)

④一叶落，知天下秋（yí yè luò zhī tiān xià qiū）→(　　　　)

⑤一日暴之，十日寒之（yí rì pù zhī shí rì hán zhī）→(　　　　)

【爬楼梯】

● 把方块里的字补齐，顺着“一”字爬楼梯吧！（提示：每行为一个成语。）

yì 一	zhī 知		
dú 独	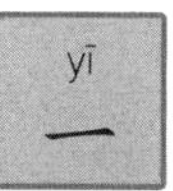 yī 一		
fēng 风	 mǐ 靡	 yì 一	
bǎi 百	 lǐ 里		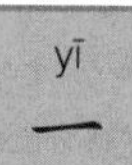 yī 一

【捧腹看成语】

● 下面这些句子是对成语的幽默解释，根据这些有趣的“歪解”，你能猜出对应的成语吗？

dǎ yāo gǔ
1. 打腰鼓……………………páng 旁 □ cè 侧 □

xǔ duō rén yì qǐ kàn diàn yǐng
2. 许多人一起看电影……………………yǒu 有 mù 目 □ dǔ 睹

wèi sài pǎo guān jūn gǔ zhǎng
3. 为赛跑冠军鼓掌……………………□ shǒu 手 □ kuài 快

liáng tuō de gòu zào
4. 凉拖的构造……………………kōng 空 □ jué 绝 □

guǎng dōng rén chàng jīng jù
5. 广东人唱京剧……………………nán 南 □ běi 北 □

dǎ jiǎ xíng dòng
6. 打假行动……………………□ wěi 伪 □ zhēn 真

【拼花名】

● 你知道多少种花的名字呢？快去用花名填一填下面这几组成语吧！

第一组：人面（　）（　）　蟾宫折（　）　（　）妻鹤子

第二组：舌灿（　）（　）　（　）（　）一现　出水（　）（　）

第三组：明日（　）（　）　（　）质（　）心　春（　）秋（　）

【拼接课程表】

● 用学科名填入每组的两个成语中，恰好能把成语补齐。快去试试看吧！

①妙（　）连珠　繁（　）缛节

②（　）典忘祖　（　）以致用

③寸草不（　）　暴殄天（　）

④不败之（　）　（　）直气壮

【拼图成词】

● 你能根据下面的图画，猜出这表示的是哪个成语吗？

chéng yǔ
成 语：____________

【破除迷雾阵】

● 下面这个成语迷雾阵把你弄晕了么？找找规律，在空格处填上正确的字吧！

huàn 焕	wù 物	dà 大	
rán 然	bó 博	cái 才	xiè 谢
yī 一	xué 学		tiān 天
	chén 陈	dài 代	xiè 谢

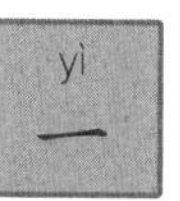
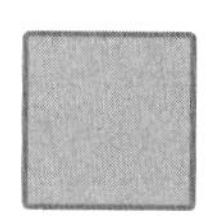

【铺设铁路】

● 火车要出发啦，可是前方的铁路还没铺好。赶紧帮工人把它铺好吧！

jīng shén huàn 精神焕□ fèn tú 愤图□ rén suǒ 人所□ shě nán 舍难□ miǎo bì 秒必□ quán duó 权夺□

zhī kě bù 支可不□ wéi rén 为人□ guǎ dào 寡道□ dé hài 得害

【七字收纳箱】

● 成语家族中有一个“七字家族”，这些成语都是七个字的。你都知道这些成语吗？

wú kě nài hé 无可奈何___ ___ ___ xīn yǒu líng xī 心有灵犀___ ___ ___ yīng xióng wú ___ ___ zhī dì 英雄无___ ___之地

zhī yì bú zài jiǔ ___ ___之意不在酒 wú shì bù dēng 无事不登___ ___ ___ shǒu xià wú ruò bīng ___ ___手下无弱兵

xiǎo bù rěn zé luàn 小不忍则乱___ ___ xié yǐ lìng zhū hóu 挟___ ___以令诸侯 bú dào xīn bù sǐ 不到___ ___心不死

xīn yǒu ér lì bù zú 心有___而力不足 shàng rèn sān bǎ huǒ ___ ___上任三把火 bù gǎn yuè yí bù 不敢越___ ___一步

【巧笔写对联】

● 古人很注重对偶，请根据下面句子的意思，用成语补齐对联。

shì běn wú xiān jué zhī yàn rén guì yǒu
世本无先觉之验，人贵有(　　　　　　)。

rěn yì shí fēng píng làng jìng tuì jǐ bù
忍一时风平浪静，退几步(　　　　　　)。

liáng yán rù ěr sān dōng nuǎn liù yuè hán
良言入耳三冬暖，(　　　　　　)六月寒。

guāng yīn sì jiàn cuī rén lǎo zàn shào nián
光阴似箭催人老，(　　　　　　)赞少年。

xiān dé yuè xiàng yáng huā mù yì wéi chūn
(　　　　　　)先得月，向阳花木易为春。

zài huí shǒu shì bǎi nián shēn
(　　　　　　)，再回首是百年身。

yí wú lù yòu yì cūn
(　　　　　　)疑无路，(　　　　　　)又一村。

yè jīng yú qín qín ér néng fèn sī zé bì xué
业精于勤勤而能奋，(　　　　　　)思则必学。

【琴声悠悠】

琴是古代一种重要乐器，人们也赋予了它许多引申义。把下面这些带“琴”字的成语跟对应的含义连起来吧。

qín xīn jiàn dǎn 琴心剑胆	zāo tà měi hǎo de dōng xi 糟蹋美好的东西。
qín sè zhī hǎo 琴瑟之好	kàn dào yí wù huái niàn gù rén 看到遗物怀念故人。
qín qí shū huà 琴棋书画	xíng zhuāng jiǎn dān yě zhǐ wéi guān qīng lián 行装简单，也指为官清廉。
yì qín yì hè 一琴一鹤	xíng róng shuō huà bú kàn duì xiàng 形容说话不看对象。
rén qín jù wáng 人琴俱亡	fū qī gǎn qíng hé xié 夫妻感情和谐。
fén qín zhǔ hè 焚琴煮鹤	jì yǒu qíng zhì yòu yǒu dǎn shí 既有情致又有胆识。
duì niú tán qín 对牛弹琴	fàn zhǐ gè zhǒng wén yì xiū yǎng 泛指各种文艺修养。

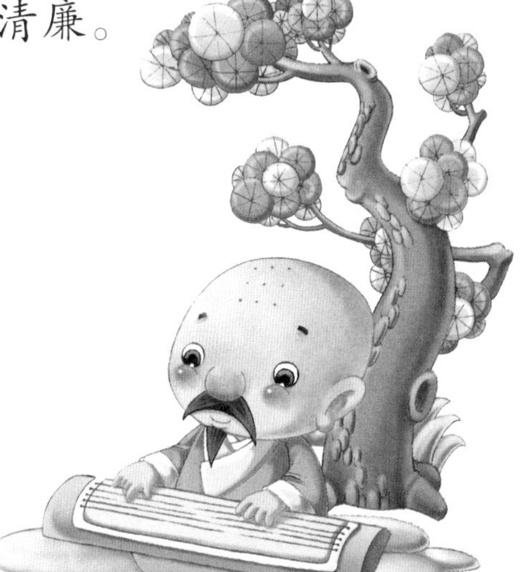

【趣味植物园】

● 一起去趣味植物园寻找草、花、树、果吧！把成语跟相关的类别连起来。

liáng yǒu bù qí 良莠不齐　fāng cǎo qī qī 芳草萋萋　sōng bǎi hòu diāo 松柏后凋　chū shuǐ fú róng 出水芙蓉　táo lǐ mǎn mén 桃李满门

huā 花

shù 树

cǎo 草

guǒ 果

lán zhì huì xīn 兰质蕙心　bǎi bù chuān yáng 百步穿杨　tán huā yí xiàn 昙花一现　wàng méi zhǐ kě 望梅止渴　hú lún tūn zǎo 囫囵吞枣

【圈圈点点小红笔】

● 小朋友，拿出你的小红笔，把下面成语中的错字圈出来并改正吧！

shǒu zhū dài tù 守珠待兔（　　）　bō miáo zhù zhǎng 拔苗助长（　　）　wú shì shēng fēi 无是生非（　　）

yǐn rén rù shēng 引人入声（　　）　zhāng guān lǐ dài 张冠李带（　　）　zhèn ěr yù lóng 振耳欲聋（　　）

xīn jí rú mèng 心急如梦（　　）　míng liè qián máo 名列前矛（　　）　chǒng rán dà wù 宠然大物（　　）

【人体百科书】

这是一部有趣的成语人体百科书，请用与人体有关的字填入空格，组成成语吧！

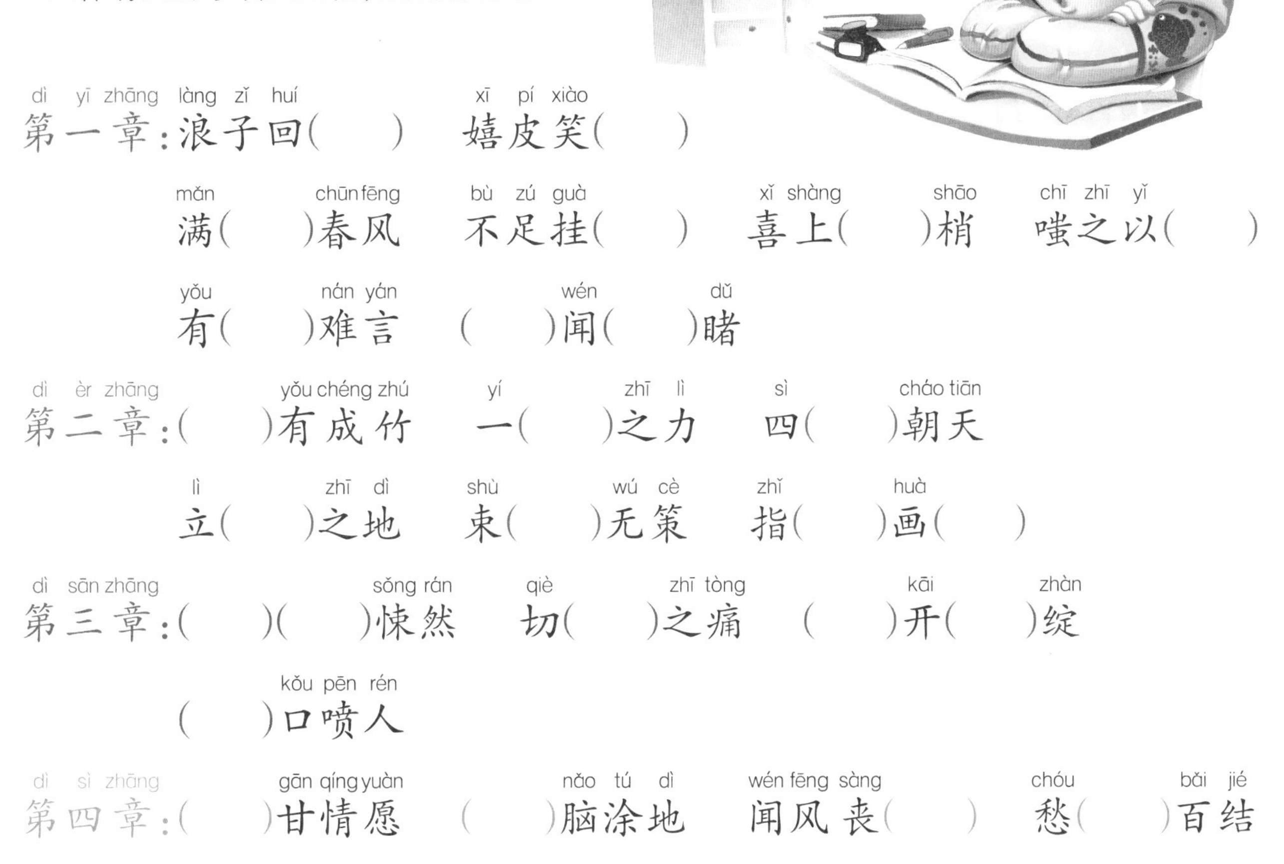

dì yī zhāng làng zǐ huí　xī pí xiào
第一章：浪子回（　）　嬉皮笑（　）

mǎn chūn fēng　bù zú guà　xǐ shàng shāo　chī zhī yǐ
满（　）春风　不足挂（　）　喜上（　）梢　嗤之以（　）

yǒu nán yán　wén dǔ
有（　）难言　（　）闻（　）睹

dì èr zhāng yǒu chéng zhú　yí zhī lì　sì cháo tiān
第二章：（　）有成竹　一（　）之力　四（　）朝天

lì zhī dì　shù wú cè　zhǐ huà
立（　）之地　束（　）无策　指（　）画（　）

dì sān zhāng sǒng rán　qiè zhī tòng　kāi zhàn
第三章：（　）（　）悚然　切（　）之痛　（　）开（　）绽

kǒu pēn rén
（　）口喷人

dì sì zhāng gān qíng yuàn　nǎo tú dì　wén fēng sàng　chóu bǎi jié
第四章：（　）甘情愿　（　）脑涂地　闻风丧（　）　愁（　）百结

【三百六十行】

● 常言说：三百六十行，行行出状元。在下面的横线上填入职业，使前后各组成一个成语。

1. 鬼斧神____　____财两空
   (guǐ fǔ shén　cái liǎng kōng)

2. 千篇一____　____出有名
   (qiān piān yí　chū yǒu míng)

3. 讳疾忌____　____生不息
   (huì jí jì　shēng bù xī)

4. 言传身____　____人口实
   (yán chuán shēn　rén kǒu shí)

5. 因势利____　____山玩水
   (yīn shì lì　shān wán shuǐ)

6. 奉公守____　____官相护
   (fèng gōng shǒu　guān xiāng hù)

【三只小猪回家】

● 三只小猪好不容易逃出了大灰狼的魔爪，快给它们指出回家的路吧！

【三字经】

● 你知道三个字的成语吗？把这些谜语跟对应的三字成语连起来吧。

lǎo shào péng you	guān mén jù kè	mài nòng xué shí	dì zhǔ zhī yì
老少朋友	关门拒客	卖弄学识	地主之谊

diào shū dài	mò xū yǒu	shì lì yǎn	shā fēng jǐng	dōng dào zhǔ	wàng nián jiāo	bì mén gēng	pò tiān huāng
掉书袋	莫须有	势利眼	杀风景	东道主	忘年交	闭门羹	破天荒

kě yǒu kě wú	jué wú jǐn yǒu	ài yǎn sǎo xìng	xián pín ài fù
可有可无	绝无仅有	碍眼扫兴	嫌贫爱富

【沙漠中的阿凡提】

● 阿凡提在沙漠中迷路了，把下面拆散的成语连接起来，连线组成的四边形就是绿洲。快去帮他找找吧！

tiān nán	nán yuán	nán qiāng	shān nán	zǒu nán	nán zhēng
天南	南辕	南腔	山南	走南	南征

běi diào	běi zhé	chuǎng běi	běi zhàn	dì běi	hǎi běi
北调	北辙	闯北	北战	地北	海北

【山路十八弯】

● 小熊仔仔要沿着弯弯绕绕的小山路回家，帮它把路上的“坑”填上吧！

【上下左右】

● 看看下面两张简易图形，猜一猜它们分别表示了哪个成语？

shàng
上

xià
下

chéng yǔ
成语：________

zuǒ
左

yòu
右

chéng yǔ
成语：________

【十二生肖排排站】

生肖们排排站了！选择正确的生肖连到空白处，组成成语。

qì chuǎn rú　　mù cùn guāng　　shǒu zhū dài　　kǒu yú shēng

气喘如___　　___目寸光　　守株待___　　___口余生

wáng bǔ láo　　dāi ruò mù　　jiān zuǐ sāi　　hú péng yǒu

亡___补牢　　呆若木___　　尖嘴___腮　　狐朋___友

【十字街头】

这个十字街头，道路原本都能通行，找找规律，赶紧在空格处填入合适的字，重新让道路畅通起来吧！

lè
乐

zhī kě bù　　zhī lún　tiān　mǎ xíng　　xué lái fēng
支可不 □ 之伦 天 马行 □ 穴来风

□

mìng
命

【石子蹦蹦跳】

● 八颗小石子能组成一个完整的成语，但是现在有一颗小石子蹦走了，快去看看蹦走的石子上写的应该是什么呢？再写出成语。

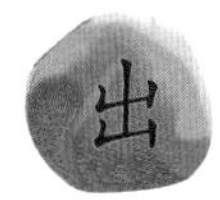

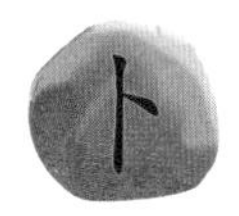

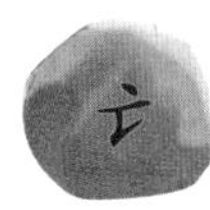

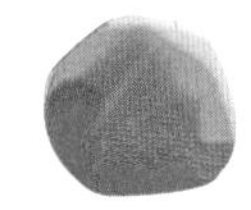

chéng yǔ
成语：________________

【食物链】

● 自然界的食物链环环相扣。看看下面两条食物链，在空格处填入恰当的动物或植物。

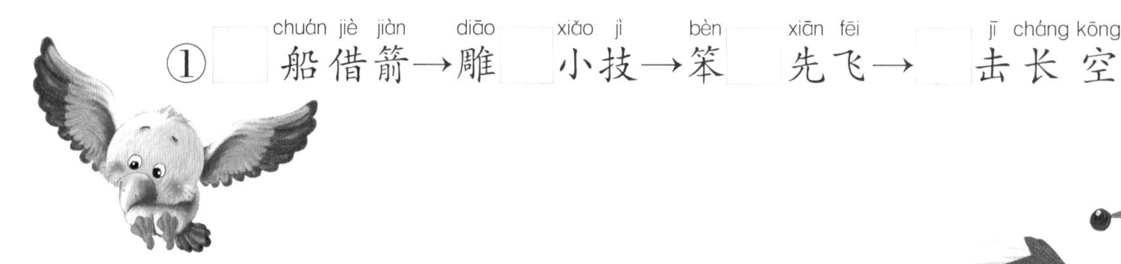

① □船借箭→雕□小技→笨□先飞→□击长空

（chuán jiè jiàn / diāo … xiǎo jì / bèn … xiān fēi / … jī cháng kōng）

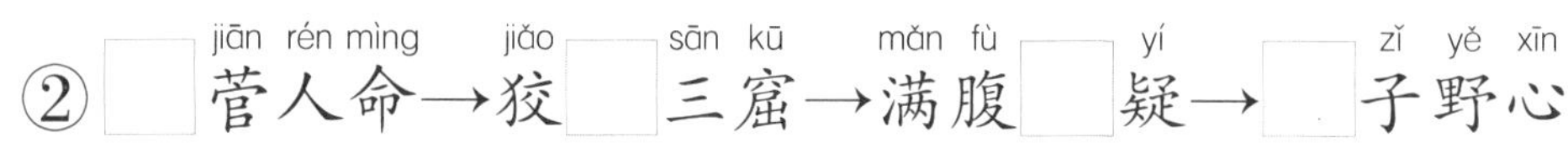

② □菅人命→狡□三窟→满腹□疑→□子野心

（… jiān rén mìng / jiǎo … sān kū / mǎn fù … yí / … zǐ yě xīn）

《世界之最》

成语中的“世界之最”你都知道吗？把这些世界之最跟对应的成语连起来吧！

zuì yáo yuǎn de dì fang 最遥远的地方	yì lǎn wú yú 一览无余
zuì huāng liáng de dì fang 最荒凉的地方	qíng tiān pī lì 晴天霹雳
zuì xuán shū de qū bié 最悬殊的区别	yì shǒu zhē tiān 一手遮天
zuì fǎn cháng de qì hòu 最反常的气候	bù máo zhī dì 不毛之地
zuì áng guì de gǎo fèi 最昂贵的稿费	tiān rǎng zhī bié 天壤之别
zuì dà de bā zhang 最大的巴掌	yì běn wàn lì 一本万利
zuì kuān de shì yě 最宽的视野	tiān yá hǎi jiǎo 天涯海角
zuì dà de lì rùn 最大的利润	yí zì qiān jīn 一字千金

【手拉手】

● 你知道这些带“手”字的成语的含义吗？把左侧的成语和右侧的含义连起来吧。

yǎn jí shǒu kuài 眼疾手快	gāo xìng de shǒu luàn wǔ jiǎo luàn tiào de yàng zi 高兴得手乱舞、脚乱跳的样子。
jǔ shǒu zhī láo 举手之劳	tè bié xǐ huan shě bu dé fàng shǒu 特别喜欢，舍不得放手。
shǒu wǔ zú dǎo 手舞足蹈	jì yì fēi cháng chún shú 技艺非常纯熟。
dé xīn yìng shǒu 得心应手	qīng ér yì jǔ xiǎo shì yì zhuāng 轻而易举，小事一桩。
ài bú shì shǒu 爱不释手	zuò shì shí yǎn jing jī jǐng shēn shǒu mǐn jié 做事时眼睛机警，身手敏捷。

【数豆子】

● 看看右方三幅小图片，你能猜出这是哪个与“豆”有关的成语吗？

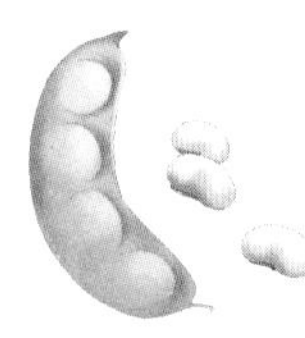

chéng yǔ
成语：________________

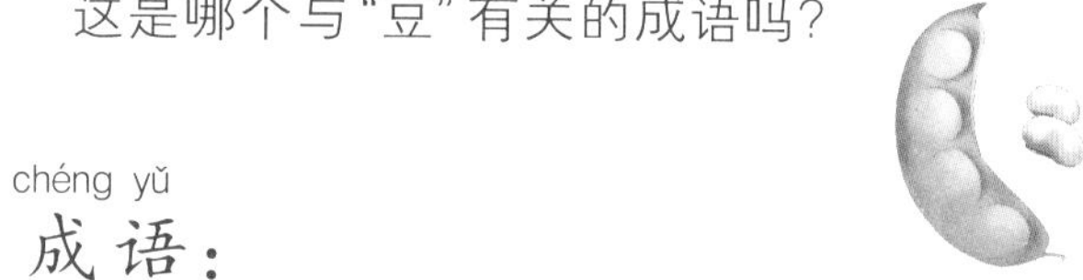

【数学小天才】

● 下面这些成语等式包含了加减乘除四种算法，谁是数学小天才？快去做做练习题吧！

è bú shè　cǎi bīn fēn　bié wú　zhì　shén wú zhǔ　miàn chǔ gē

(　)恶不赦＝(　)彩缤纷×别无(　)致＝(　)神无主＋(　)面楚歌

xíng bǎi lǐ zhě bàn　zhǐ lián xīn　shén qì

行百里者半(　)(　)÷(　)指连心＝神气

zú　máo bù bá　qū huí cháng

(　)足－(　)毛不拔＝(　)曲回肠

【数字会说话】

● 数字也是会说话的哟！看看下面这几组数字，它们分别代表了什么成语呢？

5 10　　yī □ yī □　一□一□

xiǎo shí　zhī cháng

24小时　　□□之长

wú　shī

9999＋1　　□无□失

lǐ tiāo　zhōng shēng

100→1　　□里挑□　　0＋0＝1　　□中生□

【谁和谁一样】

● 下面这些成语，左侧和右侧中有的互为近义词。它们各自与哪个对应呢？快把近义词连起来吧！

左	右
míng chá qiū háo 明察秋毫	gǒu zhàng rén shì 狗仗人势
gǎi tiān huàn dì 改天换地	xué fù wǔ chē 学富五车
rén yún yì yún 人云亦云	shì jūn lì dí 势均力敌
hú jiǎ hǔ wēi 狐假虎威	huà bǐng chōng jī 画饼充饥
qí féng duì shǒu 棋逢对手	niǔ zhuǎn qián kūn 扭转乾坤
mǎn fù jīng lún 满腹经纶	suí shēng fù hè 随声附和
wàng méi zhǐ kě 望梅止渴	mǎ dào chéng gōng 马到成功
qí kāi dé shèng 旗开得胜	dòng ruò guān huǒ 洞若观火

【谁有火眼金睛】

● 这是个偏旁被打乱了的成语，小朋友，擦亮你的火眼金睛，看看这是什么成语？

⿰东力　⿱⺍古

⿰纟堇　芓

chéng yǔ
成语：________

【谁在捉迷藏】

● 看看下面的成语，它们都隐藏着哪些人物呢？快去把它们找出来吧！

mén nòng fǔ
门弄斧

zì dà
自大

zhù wéi nüè
助为虐

sān qiān
三迁

zì jiàn
自荐

____

____

____

____

____

【“说”字阵营的间谍】

●下面这个“说”的阵营中，有五个是好兄弟，还有一个是混入兄弟阵营的“小间谍”。擦亮眼睛，把它找出来吧，并说说你的证据。

miào yǔ lián zhū 妙语连珠	kǎn kǎn ér tán 侃侃而谈	tāo tāo bù jué 滔滔不绝
kǒu ruò xuán hé 口若悬河	xìn kǒu cí huáng 信口雌黄	wěi wěi ér tán 娓娓而谈

dá àn
答案：________

zhèng jù
证据：________

【四词盘龙】

●这是个首尾相接的盘龙，把四个角上填上正确的字，让每条边的四个字都组成一个成语吧！

	 nèi 内	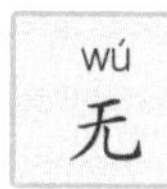 wú 无	
 rén 人			guǎn 管
 shān 山			 qí 齐
	 bā 巴	 lǐ 里	

【四词一心】

● 看看下面这四个“同一条心”的成语，相信你一定都能填上！

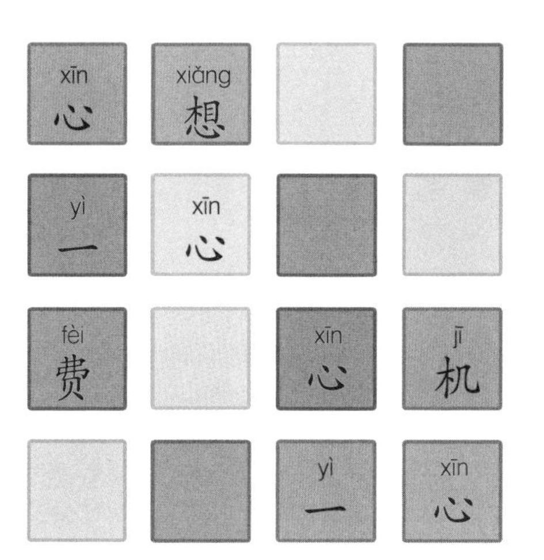

【四对四】

● 以四对四，根据左侧的提示，写出右侧的成语。

sì tōng bā dá　　　tóu tóu shì
四通八达 → 头头是___

guàn jūn yà jūn　　　shǔ　　shǔ
冠军亚军 → 数___数___

dú yī wú èr　　　jǔ shì
独一无二 → 举世___ ___

yīng wǔ xué shé　　　rén　　yì
鹦鹉学舌 → 人___亦___

【四个吝啬鬼】

● 四个吝啬鬼都有自己最喜欢的财物，看看每一组成语缺的字，写出他们最喜欢的宝贝吧！

liè huǒ zhēn 烈火真○	huī rú tǔ 挥○如土	zhǐ zuì mí 纸醉○迷	gē tiě mǎ ○戈铁马	______
jīn kē lǜ 金科　律	bīng qīng jié 冰清　洁	tíng tíng lì 亭亭　立	qióng jiāng yè 琼浆　液	______
rú huò zhì 如获至○	wú jià zhī 无价之○	mǎ xiāng chē ○马香车	dāo wèi lǎo ○刀未老	______
cāng hǎi yí 沧海遗○	zhǎng shàng míng 掌上明○	lián bì hé ○联璧合	mǎi dú huán 买椟还○	______

【四季歌】

● 看看右方的图片，分别是什么季节？用四季分别把成语填完整！

yì àng rán
意盎然

àn sòng bō
暗送□波

yǔ yù rén
□雨雨人

shí là yuè
十□腊月

四翼成语来贺新年啦！把下面成语迷宫中的成语补齐，看看有什么规律吧！

tǔ 吐	gù 故	nà 纳									fù 富	lì 力	qiáng 强
	jiù 旧	hèn 恨		chóu 愁					cháng 常		lěi 累	yuè 月	
		biāo 标		lì 立	yì 异			dòu 豆	kòu 蔻		huá 华		
				chén 陈	dài 代	xiè 谢	fēng 风	zhú 烛	cán 残				

				mǎ 马	jiā 加	biān 鞭	mèn 闷	mèn 闷	bú 不				
		dà 大		rén 人	xīn 心			xǐ 喜	wén 闻		jiàn 见		
	kuài 快	rén 人		yǔ 语					qí 其		wú 无	qióng 穷	
xīn 心	zhí 直	kǒu 口									bù 不	sī 思	shǔ 蜀

【岁寒三友】

● 松、竹、梅被称为“岁寒三友”，很受中国人喜爱。下面这些关于岁寒三友的成语，你都能填上吗？

岁寒（　）柏　松柏后（　）　松柏之（　）　胸有（　）竹　（　）如破竹

青梅竹（　）　梅（　）鹤子　（　）梅止渴　雪胎梅（　）

【它们一样吗】

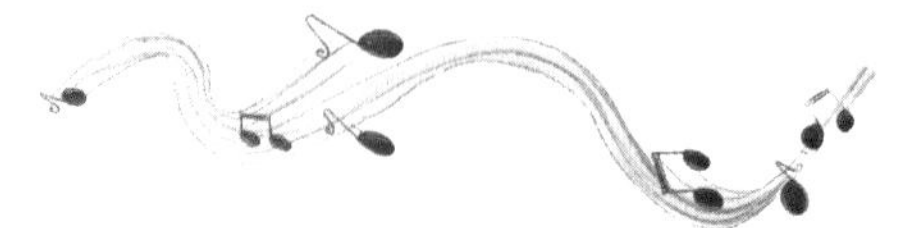

● 看看下面这几组成语中画线的字，它们的读音一样吗？请你给它们标上拼音吧！

1.数典忘祖　不计其数＿＿ ＿＿　2.称心如意　称孤道寡＿＿ ＿＿

3.泰山北斗　龙争虎斗＿＿ ＿＿　4.度日如年　度德量力＿＿ ＿＿

5.当机立断　大而无当＿＿ ＿＿　6.发号施令　擢发难数＿＿ ＿＿

7.分崩离析　非分之想＿＿ ＿＿　8.怒发冲冠　沐猴而冠＿＿ ＿＿

【贪食蛇】

● 小小贪食蛇要吃苹果，快帮它吃到最大的那个苹果吧！

lǚ jiàn bù　wéi rén　wú bù　zhī yǒu　jí bì　bài wéi shèng bài nǎi
屡见不□为人□无不□之有□极必□败为胜败乃

bù shù　shòumiàn　yú huò jià zuò rén　qīn lì　bì　cháng jiā bīng
不术□兽面□于祸嫁作人□亲力□□必□常家兵

jīn wēi　shī liáng　guān yòng jìn
□襟危□失良□关用尽

【探秘小宇宙】

● 快去成语小宇宙探秘吧，把这些与天文有关的成语补齐。

càn ruò　dà bù　zhuǎn yí
灿若□□　大步□□　□转□移

qí bù　lǎng qīng　rú zhōng tiān
□□棋布　□朗□清　如□中天

lǎng xī　zhòng gǒng　rú suō
□朗□稀　众□拱□　□□如梭

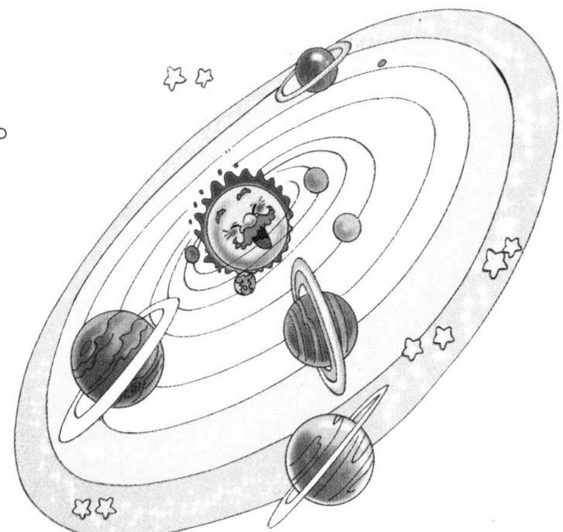

【探索方块】

● 看看右面这个成语方块，它包含了五个成语，你能找出规律，把空格补齐，并把这几个成语连起来吗？

 cháng 长	 zhì 治	 jiǔ 久	
 jīng 精	 shén 神	 	 bù 步
	 shuǎng 爽	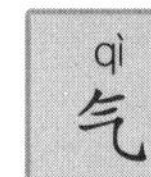 qì 气	 dàng 当
 lóng 龙	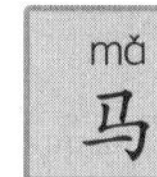 mǎ 马	 shuǐ 水	

【汤姆挑战杰瑞】

● 汤姆猫和杰瑞鼠要展开大比拼啦！左侧是汤姆的挑战阵营，右侧是杰瑞的应战阵营。把成语补齐，用时间短的一方就是赢家。快去试试吧！

zì yuán qí shuō　zì xiāng
自圆其说 VS 自相＿＿

xìng gāo ＿ liè　chuí tóu sàng qì
兴高＿烈 VS 垂头丧气

liú lí shī suǒ　ān jū
流离失所 VS 安居＿＿

tān ＿ pà sǐ　shì sǐ rú guī
贪＿怕死 VS 视死如归

【桃太郎探险】

桃太郎长大成人了，他离开家，要去找妖怪的住处，为民除害。帮他找到正确的道路吧！

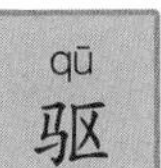

xiāng 乡　yǔ 语

【体操比赛】

成语体操比赛开始啦！找个小伙伴一起合作，一个人填成语，一个人根据空格里的字演示相应的身体部位，看看谁的反应快。快去试试吧！

第一关（dì yī guān）：失之交（shī zhī jiāo）(　　)　了如指（liǎo rú zhǐ）(　　)　振（zhèn）(　　)一呼（yì hū）　(　　)踏实地（tà shí dì）

易如反（yì rú fǎn）(　　)　捶胸顿（chuí xiōng dùn）(　　)

第二关（dì èr guān）：(　　)忙（máng）(　　)乱（luàn）　指（zhǐ）(　　)画（huà）(　　)　(　　)疾（jí）(　　)快（kuài）

(　　)重（zhòng）(　　)轻（qīng）　蹑（niè）(　　)蹑（niè）(　　)　低（dī）(　　)哈（hā）(　　)

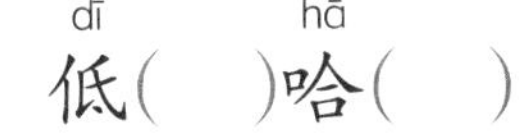

【天鹅湖】

● 天鹅湖中，有一只坏天鹅，但是它伪装得很好。小朋友，你能找找规律，把它认出来吗？

míng móu hào chǐ
明眸皓齿

zéi méi shǔ yǎn
贼眉鼠眼

guó sè tiān xiāng
国色天香

chén yú luò yàn
沉鱼落雁

【天气预报】

● 成语天气预报现在开始，请你帮助预报员把天气补齐。

北京今天夜间到明天(　　)调(　　)顺，从明天夜里开始(　　)闪(　　)鸣；上海明天(　　)和(　　)丽，明天晚上开始(　　)(　　)交加；广州明天一整天(　　)(　　)缭绕，从后天开始拨(　　)见(　　)。

【甜蜜棒棒糖】

● 下面这条成语接龙中，这五根棒棒糖分别盖住了什么字？请你把它们找出来吧！

xǐ xiào yán　　chéng bù　　zhèng bù　　yú fèng　　qián qǐ　　qǐ zhī xiù
喜笑颜（ ）诚布（ ）正不（ ）谀奉（ ）前启（ ）起之秀

（ ）=______　（ ）=______　（ ）=______　（ ）=______　（ ）=______

【填成语“看”不同】

● 汉语是博大精深的，一个意思可以用几个不同的字表达。请你去填一填吧，看看哪些字能表达“看”的意思？

dì yī zǔ　guā mù xiāng　　lìng yǎn xiāng　　wù lǐ　huā
第一组：刮目相（ ）　另眼相（ ）　雾里（ ）花

dì èr zǔ　gé àn　huǒ　　chá yán　sè　　lěng yǎn páng
第二组：隔岸（ ）火　察言（ ）色　冷眼旁（ ）

dì sān zǔ　kāi mén　shān　　bō yún　rì　　lì gān　yǐng
第三组：开门（ ）山　拨云（ ）日　立竿（ ）影

dì sì zǔ　mù bù xié　　ruò wú dǔ　　ruò wǎng wén
第四组：目不斜（ ）　（ ）若无睹　（ ）若罔闻

dì wǔ zǔ　jí mù yuǎn　　gāo　yuǎn zhǔ　　yǎn yù chuān
第五组：极目远（ ）　高（ ）远瞩　（ ）眼欲穿

【挑眉毛】

● 挑一挑下面这些带“眉”的成语，它们分别是什么意思？

méi kāi yǎn xiào 眉开眼笑	xīng fèn dé yì de yàng zi 兴奋、得意的样子。
眉飞色舞	róng mào qīng xiù bù sú qì 容貌清秀，不俗气。
yáng méi tǔ qì 扬眉吐气	gāo xìng yú kuài de yàng zi 高兴、愉快的样子。
pò zài 迫在眉睫	xíng róng xíng shì jǐn pò 形容形势紧迫。
méi qīng mù xiù 眉清目秀	bǎi tuō le cháng qī yā pò hòu gāo xìng tòng kuài de yàng zi 摆脱了长期压迫后高兴、痛快的样子。

【图画猜猜看】

● 看看右面这几幅小图片，你能猜出它们表示的是哪个成语吗？

dá àn
答案：

【图示成语主人】

● 你能看出这张图是哪个成语故事吗？主人公是谁？

chéng yǔ gù shi
成语故事：________________

zhǔ rén gōng
主人公：________________

【兔年兔开会】

● 兔年来了，兔子们来开会啦！根据左栏的含义，帮“兔”字成语找到各自的位置吧。

yǐn cáng de shǒu duàn duō 隐藏的手段多	tù sǐ gǒu pēng 兔死狗烹
wèi tóng lèi gǎn dào bēi shāng 为同类感到悲伤	shǒu zhū dài tù 守株待兔
jiǎo xìng xīn lǐ 侥幸心理	tù sǐ hú bēi 兔死狐悲
shì chéng zhī hòu gōng chén bèi shā 事成之后功臣被杀	jiǎo tù sān kū 狡兔三窟

【忘记的密码】

● 小明要上网找资料，可是他把登录密码忘记了。下面的成语中包含着小明的密码，把成语中缺的字填上，再按顺序写下来就能找到啦。

①（　）颜六色（yán liù sè）　②七上（　）下（qī shàng xià）　③（　）言两语（yán liǎng yǔ）

④九死（　）生（jiǔ sǐ shēng）　⑤丢（　）落四（diū là sì）　⑥四面（　）方（sì miàn fāng）

答案（dá àn）：________

【威武大将军】

● 骁勇善战的大将军经历过很多次战争，现在请你跟他一起上战场吧！

准备应战（zhǔn bèi yìng zhàn）：招□买□（zhāo mǎi）　□兵秣马（bīng mò mǎ）　一□作气（yì zuò qì）

战争策略（zhàn zhēng cè lüè）：步步为□（bù bù wéi）　□暗□陈仓（àn chén cāng）　声□击西（shēng jī xī）

战争进行时（zhàn zhēng jìn xíng shí）：枪□弹雨（qiāng dàn yǔ）　炮火连□（pào huǒ lián）　刀光剑□（dāo guāng jiàn）

战败（zhàn bài）：孤军□战（gū jūn zhàn）　□面楚歌（miàn chǔ gē）　一败□地（yí bài dì）

战胜（zhànshèng）：用兵如□（yòng bīng rú）　势如□□（shì rú）　百战□胜（bǎi zhàn shèng）

【“食”找位子】

下面这几组成语都带有“食”字。它们分别是什么意思呢？快去给每个成语找到合适的位子吧！

dì yī zǔ jǐn yī yù shí bù yī shū shí fēng yī zú shí fā fèn wàng shí bǎo shí zhōng rì
第一组：A.锦衣玉食 B.布衣蔬食 C.丰衣足食 D.发愤忘食 E.饱食终日

chī bǎo dù zi bú zuò shì qing
吃饱肚子，不做事情。（ ）

yī shí jiǎn dān shēng huó jiǎn pǔ
衣食简单，生活俭仆。（ ）

chuān de chī de dōu hěn fù zú
穿的吃的，都很富足。（ ）

yī shí jīng měi shēng huó shē chǐ
衣食精美，生活奢侈。（ ）

kè kǔ nǔ lì wàng le chī fàn
刻苦努力，忘了吃饭。（ ）

dì èr zǔ bú qù shuì jiào wàng le chī fàn
第二组：不去睡觉，忘了吃饭。

guān xīn bié rén gěi rén yī shí
关心别人，给人衣食。

xīn zhōng yǒu shì chī fàn bù xiāng
心中有事，吃饭不香。

dù zi jī è lái bu jí tiāo xuǎn shí wù
肚子饥饿，来不及挑选食物。

chéng le tāng fàn wèi láo jūn duì
盛了汤饭，慰劳军队。

jī bù zé shí
饥不择食

dān sì hú jiāng
箪食壶浆

fèi qǐn wàng shí
废寝忘食

shí bù gān wèi
食不甘味

jiě yī tuī shí
解衣推食

【文坛巨擘】

●填名字，组成语！ 用中国古代诗人的名字填入每一行的空格处，让每一行都组成两个成语。

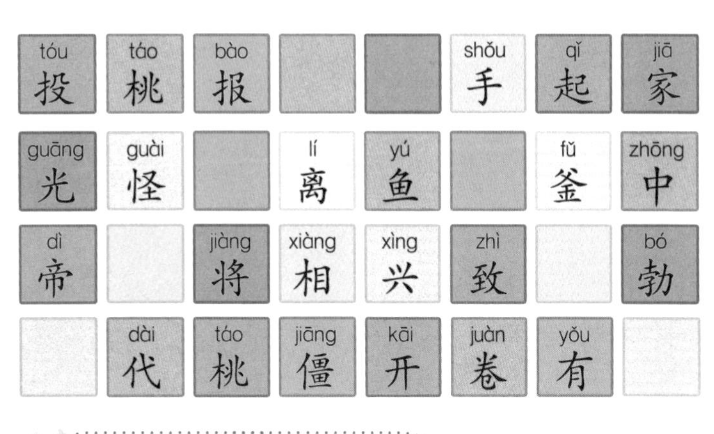

tóu 投	táo 桃	bào 报			shǒu 手	qǐ 起	jiā 家
guāng 光	guài 怪		lí 离	yú 鱼		fǔ 釜	zhōng 中
dì 帝		jiàng 将	xiàng 相	xìng 兴	zhì 致		bó 勃
	dài 代	táo 桃	jiāng 僵	kāi 开	juàn 卷	yǒu 有	

【文字大家族】

●下面这些多字成语属于成语中的“文字大家族”。去把它们补齐吧，并想一想它们各自的意思。

1. 卧榻之侧（wò tà zhī cè），____他人鼾睡（tā rén hān shuì） 2. 以（yǐ）____之心（zhī xīn），度（duó）____之腹（zhī fù）

3. 只许（zhǐ xǔ）____放火（fàng huǒ），不许百姓点灯（bù xǔ bǎi xìng diǎn dēng） 4. 工欲善其（gōng yù shàn qí）____，必先利其（bì xiān lì qí）____

5. 凡事预则（fán shì yù zé）____，不预则（bù yù zé）____ 6. 姜太公钓鱼（jiāng tài gōng diào yú），____上钩（shàng gōu）

【蜗牛与黄鹂鸟】

● 小朋友们一定都听过蜗牛与黄鹂鸟的故事吧！蜗牛在葡萄刚发芽时就往上爬，遭到了黄鹂鸟的嘲笑，但小蜗牛没有气馁，他说等自己爬上去，葡萄就成熟了。现在，请你把形容它们的成语跟两个小主人公连起来吧！

jiān rěn bù bá 坚忍不拔	zì yǐ wéi shì 自以为是	zì mìng bù fán 自命不凡
bèn niǎo xiān fēi 笨鸟先飞	mù zhōng wú rén 目中无人	jiāng qín bǔ zhuō 将勤补拙

【我当小老师】

● 下面这些成语中都有一个错别字，小朋友，你来当一次小老师，把它们改过来吧！

1. zài jiē zài lì 再接再励（　　）	2. zǒu tóu wú lù 走头无路（　　）	3. pò bù jí dài 迫不急待（　　）
4. gǎi xié guī zhèng 改斜归正（　　）	5. tiān fān dì fù 天翻地复（　　）	6. jiān nán xiǎn zǔ 坚难险阻（　　）
7. nán yuán běi chè 南辕北撤（　　）	8. zuò jǐng guān tiān 座井观天（　　）	9. kè zhōu qiú jiàn 克舟求剑（　　）
10. yì bù róng cí 义不容词（　　）	11. háo yán zhuàng yǔ 毫言壮语（　　）	12. shèng qì líng rén 胜气凌人（　　）

【我是小诗人】

● 学习成语，变身小诗人！把下面的成语填齐，看看这是哪一首诗？

□□□□□，□□□□□。

shǒu	bó	shān	qióng	lì	liáng	dòng	mù	kuò	nián
手	薄	山	穷	力	梁	东	木	阔	年
qǐ	xī	bàng	shuǐ	ér	yī	shī	sān	tiān	sì
起	西	傍	水	而	一	狮	三	天	似
jiā	shān	shuǐ	jìn	wéi	mèng	hǒu	fēn	kōng	shuǐ
家	山	水	尽	为	梦	吼	分	空	水

□□□□□，□□□□□。

qín	xiōng	jūn	yìng	guāng	jìn	xíng	xīn	chū	tái
擒	凶	钧	应	光	进	行	心	出	台
gù	jí	yī	wài	duǎn	yì	xià	yí	bù	tíng
故	极	一	外	短	一	下	一	不	亭
zòng	è	fā	hé	qiǎn	gān	xiào	yì	qióng	gé
纵	恶	发	合	浅	竿	效	意	穷	阁

【舞林大会】

● 第一届舞林大会要开始啦！看看下面两组“选手”，你能更快地填好哪一组呢？

dì yī zǔ　piān piān　wǔ　gē wǔ　píng　qīng gē　wǔ
第一组：翩翩(　　)舞　歌舞(　　)平　轻歌(　　)舞

zài　zài wǔ　shǒu wǔ zú　cháng xiù　wǔ　wǔ rén xīn
载(　　)载舞　手舞足(　　)　长袖(　　)舞　(　　)舞人心

dì èr zǔ　huān xīn　wǔ　méi　sè wǔ　lóng fēi　wǔ
第二组：欢欣(　　)舞　眉(　　)色舞　龙飞(　　)舞

wén　qǐ wǔ　wǔ wén　mò　zhāng yá wǔ　sī wǔ bì
闻(　　)起舞　舞文(　　)墨　张牙舞(　　)　(　　)私舞弊

【物归原主】

● 把下面这些图片跟对应的成语连起来吧！

míng　gāo xuán　fēng　cán nián　fán　sì jǐn　fēng hé　lì　dàn fēng qīng　zhāng　jié cǎi
明〇高悬　风〇残年　繁〇似锦　风和〇丽　〇淡风轻　张〇结彩

【小白兔吃萝卜】

● 小白兔想吃胡萝卜，可是面对前面弯弯曲曲的小路，它感到很迷惑。快去帮帮它吧！

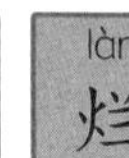

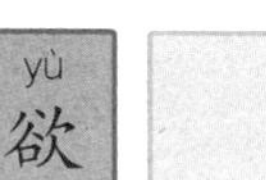
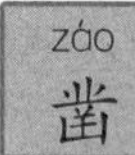
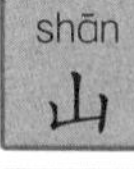

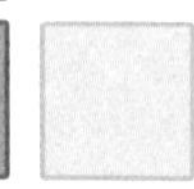

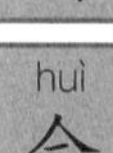

	zhēn 真	làn 烂							
guān 观						yǎn 眼	yù 欲		záo 凿
jǐng 井		shān 山			xiāng 相				fù 附
zuò 坐		biàn 遍			gài 盖		chōng 冲		huì 会
							fà 发		
		xīn 心	bó 勃		rán 然	dà 大			

【小黑和小白】

● 小黑和小白是两个好朋友，它们虽然有时候单独出现，但常常形影不离。去把下面的成语补齐吧！

第一组：(　　)灯瞎火　(　　)(　　)一团　月(　　)风高　起(　　)贪(　　)

第二组：(　　)手起家　阳春(　　)雪　真相(　　)(　　)　平(　　)无故

第三组：(　　)(　　)分明　(　　)淆黑白　白(　　)黑字　白山黑(　　)

【小马快跑】

● 自古以来，马就以其奔跑的英姿和迅捷的速度为人们所喜爱。下面这组成语都是带“马”字的，小马快快跑，脑筋多多动，将释义与成语义连起来吧。

cū lüè de kàn 粗略地看	lì le dà gōng 立了大功	dì shì píng tǎn 地势平坦	zǒu zài qián liè 走在前列	dān dú xíng dòng 单独行动	xīn shén bú dìng 心神不定
yì mǎ dāng xiān 一马当先	yì mǎ píng chuān 一马平川	hàn mǎ gōng láo 汗马功劳	zǒu mǎ guān huā 走马观花	xīn yuán yì mǎ 心猿意马	dān qiāng pǐ mǎ 单枪匹马

【小猫的旅游日记】

● 小猫可是个小小旅行家，虽然年纪不大，却走过了不少地方。下面是小猫的旅游日记，每一组成语都藏了一个地名。快看看它都走过了哪些地方吧！

shēng dōng jī　　rán wú yàng
①声东击___　___然无恙

tóng zhōu gòng　　kē yí mèng
②同舟共___　___柯一梦

bù móu ér　　tóu dà ěr
③不谋而___　___头大耳

dì běi tiān　　quē wù làn
④地北天___　___缺勿滥

yuán yuǎn liú　　fēng huà yǔ
⑤源远流___　___风化雨

nán néng kě　　chūn bái xuě
⑥难能可___　___春白雪

bǎi chuān guī　　ruò xuán hé
⑦百川归___　___若悬河

yǔ zhòng xīn　　lǐ táo jīn
⑧语重心___　___里淘金

【小猫种鱼】

● 小猫在春天种下了一条鱼，希望秋天能收获很多鱼。这本来是没法实现的愿望，但是，如果有魔法，它的愿望就会实现。现在，请你来当个魔法师，让小猫的鱼丰收吧！

zhǒng zi rú dé shuǐ
种子：如(　　)得水

shōu huò lín yuān yuán mù hé zé sǐ wǎng pò
收获：临渊(　　)(　　)　缘木(　　)(　　)　涸泽(　　)(　　)　(　　)死网破

hùn zhū chuán chǐ sù hùn zá guàn ér rù
(　　)(　　)混珠　(　　)传尺素　(　　)(　　)混杂　(　　)贯而入

【小蜜蜂采花蜜】

● 辛勤的小蜜蜂来采花蜜了，但是这只小蜜蜂只采暖色花朵的花蜜。快去把下列成语填上，帮它辨认一下吧！

qì dōng lái xīn sàng qì bō wàn qǐng
(　　)气东来　(　　)心丧气　(　　)波万顷

qī yì tuán píng wú gù chà yān
漆(　　)一团　平(　　)无故　姹(　　)嫣(　　)

lú huǒ chún wàn qiān liáng yí mèng
炉火纯(　　)　万(　　)千(　　)　(　　)粱一梦

【小天平大意义】

● 下面的四幅天平图，分别代表了四个成语。小朋友，快快开动脑筋吧，相信你一定会猜出它们的！

qī 七　bā 八　　qīng 轻　zhòng 重　　shǒu 手　yǎn 眼　　qí 旗　gǔ 鼓

chéng yǔ
成语：________　________　________　________

【小图画大串联】

● 根据给出的四幅小图画的提示，你能猜出它们代表了一个什么成语吗？把答案写出来吧！

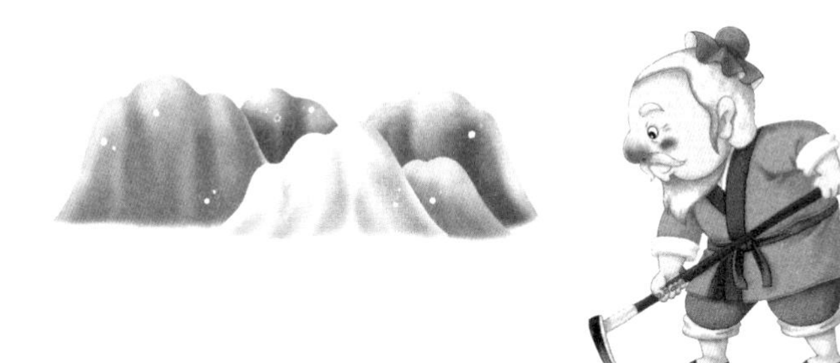

chéng yǔ
成语：________

【小兔补墙】

● 小兔要选合适的砖块补墙，快帮帮它，仔细观察一下，从下面的材料里挑选出合适的砖块，补到墙上吧！

A. 不堪一击（bù kān yì jī） B. 摇摇欲坠（yáo yáo yù zhuì） C. 固若金汤（gù ruò jīn tāng） D. 危在旦夕（wēi zài dàn xī）

坚如磐石（jiān rú pán shí） 岿然不动（kuī rán bú dòng）  ？ 历久弥坚（lì jiǔ mí jiān）

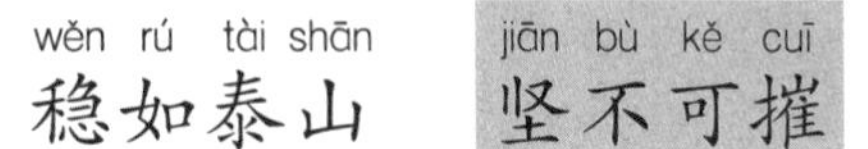
稳如泰山（wěn rú tài shān） 坚不可摧（jiān bù kě cuī）

铜墙铁壁（tóng qiáng tiě bì）
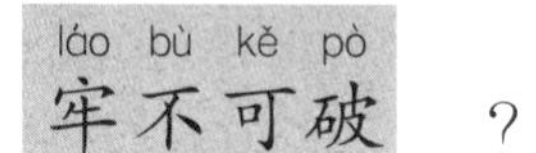
牢不可破（láo bù kě pò）

？ = ______

【小小侦探】

● 做个小小侦探，根据下列数字提示，猜一猜成语。

2、4、6、8、10 ______

1、2、5、6、7、8、9 ______

9寸（cùn）+1寸（cùn）=1尺（chǐ） ______

7÷2 ______

【笑笑猜】

● 看看下面这些有趣的成语谜语，你能猜出成语，把空填上吗？

hǎn kǒu hào 喊口号	kǒu shēng （ ）口（ ）声
bù chī wō biān cǎo de tù zi 不吃窝边草的兔子	shě qiú 舍（ ）求（ ）
xiān zuò fēi jī yòu chéng dì tiě 先坐飞机，又乘地铁	shàng rù 上（ ）入（ ）
yán wang yé huí jiā 阎王爷回家	shì rú 视（ ）如（ ）
gōng zuò zhōng de yuán yì shī 工作中的园艺师	niān rě 拈（ ）惹（ ）
dǎ diǎn dī 打点滴	shuǐ liú （ ）水（ ）流
kěn fèng zhǎo 啃凤爪	zhāng wǔ 张（ ）舞（ ）
cì wei 刺猬	máng zài 芒（ ）在（ ）

【选美大赛】

● 右面这些形容人美丽的成语，你都知道吗？把左右两栏中的小图跟对应的成语连起来吧！

rén miàn
人 面 ○ ○

méi qīng xiù
眉 清 ○ 秀

hóng chǐ bái
○ 红 齿 白

qīng yù jié
○ 清 玉 洁

rú sì yù
如 ○ 似 玉

chén luò yàn
沉 ○ 落 雁

【选什么？】

● 根据下面的图，看看小猫的表情，猜一猜成语。

yòu
右

zuǒ
左

dá àn
答案：________

【学者气质】

● 形容人富有学者气质的成语，你都知道哪些呢？快来填填看吧！

xué fù chē 学富(　)车　　mǎn fù 满腹(　)(　)　　bó tōng jīn 博(　)通今

wēn ěr yǎ 温(　)尔雅　　zhì bīn bīn (　)质彬彬　　miào yǔ 妙语(　)(　)

zhì cún 志存(　)(　)　　kǎn kǎn ér 侃侃而(　)　　wěi ér tán 娓(　)而谈

【寻找双胞胎】

● 成语中有很多“双胞胎”，它们的构成是AABB的叠字形式。请你去试试能填上几个吧！

míng míng 明明(　)(　)　　hóng hóng 红红(　)(　)　　qī qī 期期(　)(　)　　duān duān 端端(　)(　)

liē liē (　)(　)咧咧　　fèi fèi 沸沸(　)(　)　　huǒ huǒ (　)(　)火火　　fù fù (　)(　)复复

tiē tiē (　)(　)帖帖　　suì suì (　)(　)祟祟　　hōng hōng 轰轰(　)(　)　　qiàng qiàng (　)(　)跄跄

lěng lěng 冷冷(　)(　)　　hǔ hǔ (　)(　)虎虎

【眼保健操】

● 经常做眼保健操有利于保护视力，现在让我们做一做成语眼保健操，练就一副好眼力吧！

jù huì yǎn ○具慧眼	diū xiàn yǎn 丢○现眼	lìng yǎn kàn 另眼○看	méi kāi yǎn 眉开眼○	mù zhuǎn jīng 目○转睛
mù wú rén 目○无人	miàn mù fēi 面目○非	mù kōng yí 目空一○	dà kāi jiè 大开○界	guò yún yān 过○云烟
huǒ yǎn jīng 火眼○睛	méi lái yǎn 眉来眼○	jǔ wú qīn 举○无亲	lín mǎn mù 琳○满目	mù guāng jù 目光○炬

【眼睛弯弯猜成语】

● 看一看下面这些幽默提示，当你根据它们猜出成语时，肯定能开心一笑！那就快去试试吧！

shí wǔ gè rén chī fàn 十五个人吃饭	zuǐ shé (　)嘴(　)舌
bēi jù diàn yǐng sàn chǎng 悲剧电影散场	bù ér 不(　)而(　)
xiàn chǎng kàn pīng pāng qiú bǐ sài 现场看乒乓球比赛	zuǒ yòu 左(　)右(　)
mù bēi 墓碑	cún wáng (　)存(　)亡

【羊乐乐的星期天】

● 周末到了，可爱的羊乐乐和小伙伴们一起度过了一个快乐的星期天！快去看看下面的成语，把它们跟对应的时刻连起来吧！

xù rì dōng shēng 旭日东升　yàn yáng gāo zhào 艳阳高照　rì shàng sān gān 日上三竿　liè rì dāng kōng 烈日当空

zǎo chén 早晨　zhōng wǔ 中午　wǎn shang 晚上

yuè luò wū tí 月落乌啼　xióng jī bào xiǎo 雄鸡报晓　fán xīng mǎn tiān 繁星满天　jiāo yáng sì huǒ 骄阳似火

【羊群里的狼】

● 这个成语的"羊群"里藏着一只狼。虽然它看上去似乎跟大家一样，但是请你仔细想一想，它哪里跟大家不同呢？去把它找出来吧！

píng yì jìn rén 平易近人　kuān hóng dà dù 宽宏大度　bīng qīng yù jié 冰清玉洁　chí zhī yǐ héng 持之以恒

qiè ér bù shě 锲而不舍　chǔ xīn jī lǜ 处心积虑　liào shì rú shén 料事如神　zú zhì duō móu 足智多谋

= ____________________　bù tóng zhī chù 不同之处：____________________

【一半+一半】

● “半 A 半 B”的成语通常指介于 AB 两者之间的状态。去把下面这些成语填上吧！

bàn wén bàn 半文半(　　)	bàn chēn bàn 半瞋半(　　)	bàn　　bàn bǎo 半(　　)半饱	bàn　　bàn àn 半(　　)半暗
bàn　　bàn xǐng 半(　　)半醒	bàn qīng bàn 半青半(　　)	bàn　　bàn shú 半(　　)半熟	bàn shàng bàn 半上半(　　)
bàn tuī bàn 半推半(　　)	bàn　　bàn lǚ 半(　　)半缕	bàn xīn bàn 半新半(　　)	bàn　　bàn yí 半(　　)半疑

【一变一】

● 根据下面这些字的变化，你能猜出是哪些成语吗？

jiān　xiǎo 尖→小	yīn　shī 因□失□
rú　nǚ 如→女	chū yì □出一□
yú　yú 鱼→渔	rú　dé 如□得□
gū　yín 咕→吟	wǎng　lái 往　来

【一词四跳】

● 看看下面四组成语，你能想出一个成语，让这个成语的四个字恰好能补齐四组成语吗？

dì yī zǔ 第一组：xué fù wǔ 学富五□　ān bù dàng 安步当□　dì èr zǔ 第二组：shùn 顺□ tuī zhōu 推舟　qīng shān lǜ 青山绿□

dì sān zǔ 第三组：yì 一□ dāng xiān 当先　zǒu 走□ guān huā 观花　dì sì zǔ 第四组：yè gōng hào 叶公好□　jiǎo ruò jīng 矫若惊□

dá àn 答案：________________

【一对一】

● 下面的每个成语中都有两种动物。根据成语的含义，动物们有的是“合作”关系，有的是“对抗”关系，快去试试，把它们都填好吧！

hé zuò 合作：（　）guǐ 鬼（　）shén 神　（　）dù 肚（　）cháng 肠　（　）bèi 背（　）yāo 腰　（　）pán 盘（　）jù 踞

（　）péng 朋（　）yǒu 友　（　）（　）jīng shén 精神　（　）tóu 头（　）mù 目　（　）shēng 声（　）yǔ 语

duì kàng 对抗：（　）lì 立（　）qún 群　（　）（　）xiāngzhēng 相争，yú wēng dé lì 渔翁得利　（　）rù 入（　）qún 群

shā 杀（　）jǐng 儆（　）　（　）jiǎ 假（　）wēi 威

【一二三四方阵】

●小朋友，把空填上，你能发现这个成语方阵的规律吗？

	chuí 锤	dìng 定	yīn 音
jiē 接		lián 连	sān 三
tuì 退	 bì 避		shè 舍
tiāo 挑	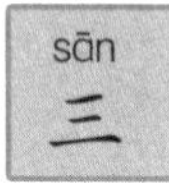 sān 三	jiǎn 拣	

●根据下面的汉字加法等式，把成语补齐。

shǒu ǒu dé jīn tóng yù huì lí duō
□手偶得＝金童玉□＋会□离多

jīng jiǔ bù bù yóu zhǔ jì shàng lái
经久不□＝不由□主＋计上□来

bù bú wèn bì zào chē zhuā náo sāi
不□不问＝闭□造车＋抓□挠腮

qián yí huà qǐ zǎo tān shēng sè mǎ
潜移□化＝起早贪□＋声色□马

【一个萝卜两个坑】

● 左侧的两个"坑"能种出右侧的一个"萝卜"。小朋友，请你把每一组的空格填上，再写出一个同时包含这两个字的成语。

（　）通广大　光天（　）日→________　啧啧称（　）　悲痛欲（　）→________

（　）分守己　怅然（　）失→________　丝丝入（　）　做贼（　）虚→________

【一起来打靶】

● 靶子的环数从外到内依次是 1 环到 10 环。小熊、小兔和小猴一起来打靶，每个人射了一支箭，分别射在了不同的环数上。请你先把十个成语填好，再把代表它们环数的成语写出来吧！

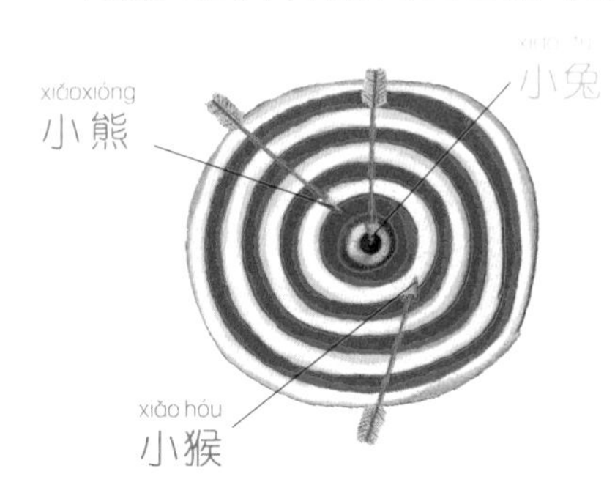

小熊________

小兔________

小猴________

（　）马当先　合（　）为一

退避（　）舍　（　）面楚歌

（　）谷丰登　（　）神无主

（　）上八下　才高（　）斗

一言（　）鼎　（　）全十美

【一山二虎】

● “一山不容二虎”，意思是两个针锋相对的事物不能共存。但是下面这些成语却是个例外，每个成语中都含有一对反义词。请你填上它们吧！

欺(qī)(　)怕(pà)(　)　患(huàn)(　)患(huàn)(　)　矫(jiǎo)(　)过(guò)(　)　积(jī)(　)成(chéng)(　)

(　)行(xíng)(　)效(xiào)　(　)水(shuǐ)(　)薪(xīn)　(　)躲(duǒ)(　)藏(cáng)　眉(méi)(　)眼(yǎn)(　)

【隐藏在数中】

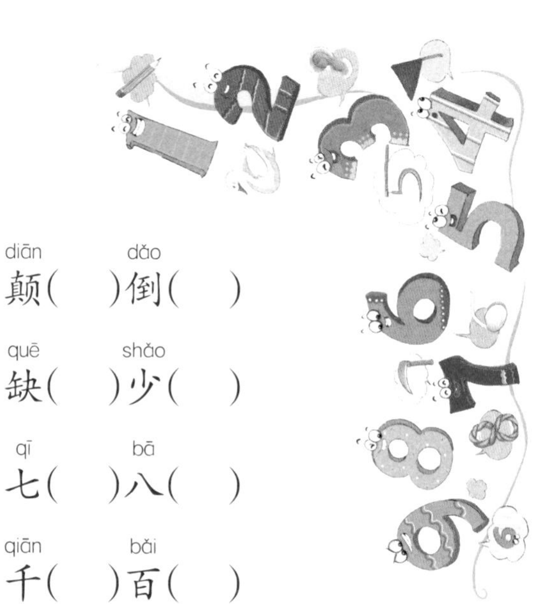

● 看一看这些数字提示，你能猜出对应的成语吗？

124356789　　颠(diān)(　)倒(dǎo)(　)

23456789　　缺(quē)(　)少(shǎo)(　)

$\frac{7}{8}$　　七(qī)(　)八(bā)(　)

$1000^2=100\times100\times100$　　千(qiān)(　)百(bǎi)(　)

【优美演唱会】

● 不莱梅的音乐家们组成了一支优秀的乐队，合作举办了一场演唱会。快去听听吧！

qǔ mù　gāo hè guǎ　yì　tóng gōng
曲目：(　　)高和寡　异(　　)同工

bàn zòu　yì　yì yǎn　yǒu　yǒu yǎn　wài zhī yīn
伴奏：一(　　)一眼　有(　　)有眼　(　　)外之音

gǎi　gēng zhāng　kòu rén xīn
改(　　)更张　扣人心(　　)

zhǔ chàng　yí　sān tàn　fū　fù suí
主唱：一(　　)三叹　夫(　　)妇随

【有话藏着说】

● 下面这些成语中，虽然没有“若”“如”等字，但却运用了暗喻的手法。根据成语的含义，把图片跟成语连起来吧！

yǐn　rù shì　fēng chí　chè　shān huǒ hǎi　guàn ér rù　bào tóu　cuàn　huān hū　yuè
引(　)入室　风驰(　)掣　(　)山火海　(　)贯而入　(　)抱头(　)窜　欢呼(　)跃

【原始森林】

● 原始森林中的树木长得非常茂密，现在请你进入成语森林吧！

mù　　　mù sān fēn　　yuán mù　yú　　yí huā　mù　　mù yǐ chéng　　xíng jiāng　mù
木：□木三分　　缘木□鱼　　移花□木　　木已成□　　行将□木

shù lín fēng　　shù yín huā　　shù yí zhì
树：□树临风　　□树银花　　□树一帜

sēn lín　lín dàn yǔ　　lín　zǒng zǒng　　luó wàn xiàng
森林：□林弹雨　　林□总总　　□罗万象

【云里雾里】

● 看看下面这座云雾中的“成语山”，你能沿着盘山公路顺利到达停车场吗？请把路线连出来。

yòng 用

zhī 之　　lì 力　　suǒ 所

bù 不　　quán 全　　néng 能　　xíng 行

jié 竭　　jìn 尽　　jí 及　　shí 时　　lè 乐

【找出主人公】

看一看下面这幅图，你知道它表示的是哪个成语吗？主人公又是谁？

chéng yǔ
成语：＿＿＿＿＿＿＿＿

zhǔ rén gōng
主人公：＿＿＿＿＿＿＿＿

【找规律，选“仙鹤”】

下面这些成语中，有一个是“鹤立鸡群”的。你能发现它吗？说说你的理由吧！

lù lù wú wéi 碌碌无为	cái shí guò rén 才识过人	bù xué wú shù 不学无术
zuì shēng mèng sǐ 醉生梦死	wán shì bù gōng 玩世不恭	cuō tuó suì yuè 蹉跎岁月

dá àn
答案：＿＿＿＿＿＿＿＿

lǐ yóu
理由：＿＿＿＿＿＿＿＿

● 下面的五个成语中分别带有五官。请你把成语跟对应的五官连起来吧！

lìng（　）xiāng kàn
另（　）相看

yǎn（　）dào líng
掩（　）盗铃

chī zhī yǐ（　）
嗤之以（　）

yáng（　）tǔ qì
扬（　）吐气

yóu（　）huá shé
油（　）滑舌

● 请你当个小侦探，动一动脑筋：你能写出一个成语，用它的四个字恰好补齐这个阵营吗？

xiào yán kāi
（　）笑颜开

lǐ yìng（　）hé
里应（　）合

（　）rén yì liào
（　）人意料

（　）chuān qiū shuǐ
（　）穿秋水

dá àn
答案：________________

【睁大眼睛看一看】

● 下面是一堆被打乱的部首，请你睁大眼睛看一看，它们能组成哪个成语呢？

氵 

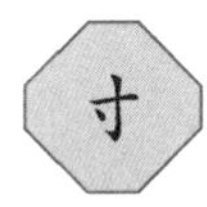

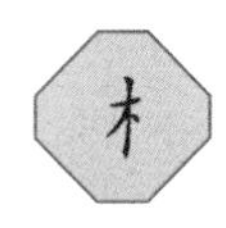

可

dá àn
答案：________________

【知识小果园】

● 请你去知识小果园里看一看，把果名填入括号中组成成语吧。

shùn téng mō　　　dài táo jiāng　　nán　　běi zhǐ
顺藤摸（　　）　（　　）代桃僵　南（　　）北枳

dié mián mián　　hóng liǔ lǜ　　tóu　　bào
（　　）瓞绵绵　（　　）红柳绿　投（　　）报（　　）

rén miàn　huā　hú lún tūn
人面（　　）花　囫囵吞（　　）

huā dài yǔ
（　　）花带雨

bù yán　xià zì chéng xī
（　　）（　　）不言，下自成蹊

【只言片语】

● 根据下面的提示关键词，你能猜出它们表示的是哪个成语吗？

①漂亮盒子（piào liang hé zi）　②宝珠（bǎo zhū）

④还给卖主（huán gěi mài zhǔ）

答案（dá àn）：____________

【纸上旅游】

● 让我们来一场纸上旅游吧！看看前面的提示，把属于这个省份的地名填入空格中，组成成语。

海南（hǎi nán）→大夸（dà kuā）

河南（hé nán）→　　纸贵（zhǐ guì）

河北（hé běi）→　　学步（xué bù）

山西（shān xī）→　　久安（jiǔ ān）

陕西（shǎn xī）→□□米贵（mǐ guì）

北京（běi jīng）→□□土木（tǔ mù）

湖南（hú nán）→世外（shì wài）□□

【智力两级跳】

● 请你在前两个成语的空白处填入合适的字，然后再用这两个字组成一个新的成语。

qiǎo duó tiān　　　　shì rú shén
巧夺天(　　)+(　　)事如神→□□□□

bù xiá jiē　　　　miàn shòu xīn
(　　)不暇接+(　　)面兽心→□□□□

zhī záo záo　　jiā　　hù xiǎo
(　　)之凿凿+家(　　)户晓→□□□□

qǐ yún yǒng　guāng míng　　dà
(　　)起云涌+光明(　　)大→□□□□

【智力七巧板】

● 看看下面这个七巧板上的部首，你能用它们拼成一个成语吗？

dá àn
答案：__________________

【转向了吗？】

● 看看下面的方位词，从给出的八个字中选出合适的填入空格中，使每一行都组成一个成语。

shēng 声	bā 八	盼	zhàn 战	顾	jī 击	七	zhēng 征

nán 南　běi 北　　dōng 东　xī 西　zuǒ 左　yòu 右　　shàng 上　xià 下

【走过九曲桥】

● 小兔子要走过由成语组成的九曲桥去见好朋友小松鼠。快去把空格处填上，帮它把桥搭稳吧！

míng 鸣	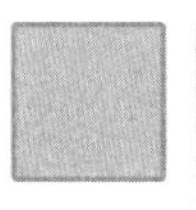	rén 人		lái 来 				xiào 笑		shēng 生 
yì 一		shān 山		hòu 后 		xià 下 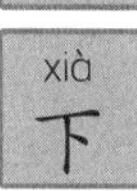		tán 谈		
		rén 人		jué 绝 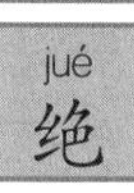		yì 一 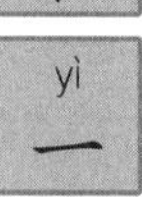		gāo 高		

		kuò 阔	tiān 天	kōng 空 		xiōng 胸 	kāi 开 	kuò 阔		

【走失的小孩】

幼儿园走失了一个小朋友，老师们在学校附近发现了三个玩耍的小孩，可是不知道哪个才是走失的小孩。看看哪个小孩带的部首能跟上面的部首组成一个成语？能组成成语的那个就是走失的小朋友啦！请在对应的小孩前打上对号，并写出这个成语。

【醉酒的李白】

李白写了两句诗，但是他喝醉了，想不起来是哪两句了。小朋友，快把下面的成语补齐，看看他写的是什么诗吧。

【答案页】

提示：如无特殊说明，填空题答案按先从左到右，再从上到下的顺序排列，接龙题答案按接龙顺序排列。

P1

分　接　别无　一无

成群　接、连　成不变　零、落

P2

伯牙　庄周　缇萦　管宁　曾参　萧（萧何）、曹（曹参）

司马昭　诸葛亮　廖化　萧何，萧何

背暗→离开　背信→抛弃　倒背→背诵　浃背→背部

纸背→背面　背→背对着

P3

变化多端

虎 > 鸡　山 > 箭　草 < 竹　粟 < 木　海 > 湖　桃 = 桃

P4

如鼠　一贫　如神　如流　挥金　如山　心急　如簧　薄冰

如日　破竹　如柴　暴跳　如麻　如云

对答如流

P5

第一组：枪　弓　刀　剑　剑　弓　箭　箭　箭　弩

第二组：刀、剑　剑、弩　枪、弹　枪、剑

情深似海

P6

大　得胜　相　旗　日　旗、鼓　旗鼓　帜、帜

恩重如山　山穷水尽　尽心尽力　力不从心　心如止水

P7

变　投地　有目　覆去　感交

碧　紫　红　金　蓝　绿

P8

东施效颦

栩栩如生机勃勃然大怒气冲天罗地网开一面目全非同小可

P9

第一组：看　目　睛　瞠　目

第二组：眼、睛　眼　眼　眼　眸　眼　睛

只　杯　匹　盘　门、户　本　条　杯、盘　瓶

P10

浪　星　雨　风　日　月　云

八　六　八　五　三　九　三　一　86853931

P11

熙熙攘攘　懵懵懂懂　层层叠叠　勤勤恳恳　端端正正

原原本本　纷纷扬扬　冷冷清清

东张西望

P12

①华盛顿 ②首尔 ③多伦多 ④布拉格 ⑤马德里

随风潜入夜

P13

洁 恶 众 城

回 转 路 峰

P14

“水”改为“石”→水落石出

“砖”改为“玉”→抛砖引玉

“天”改为“地”→偷天换地

第一幅图：翩翩起舞 第二幅图：余音绕梁 第三幅图：百发百中 第四幅图：口若悬河

P15

EDABC

零，雨，令 亡，心，忘 加，力，口 精，米，青

P16

卧薪尝胆 勾践

年 力 从 长 久 负 顽

P17

无 念 落 动

螳臂当车

P18

骑→其 衣→依 闲→贤 酒→久 食→十 蚊→闻 警→惊

亲（成语为：温故知新）

P19

你死我活 手到擒来 死去活来 百废俱兴

惊、骇 开、笑 咬、嚼 单、匹 倒、逆 轻、细 疾、快 锦、玉 离、别 斩、截

P20

“聪明桃”是：冰雪聪明、秀外慧中、大智若愚、聪明伶俐、蕙质兰心

斗 踞 腾 藏 似虎 虎子 吞虎 平阳 虎虎 虎 生 三 变 伥

P21

走马观花 铁树开花 明日黄花 锦上添花 春暖花开

云 别 心 正 子 有

P22

黄 蓝 紫 红 粉

化学 气体 分子 固体 沸点 量杯 空气 挥发

P23

际 断金 长 海 丰登 主 烟 面 云 年

P24

好人：义正辞严 铁面无私 秉公执法 光明磊落

坏人：小肚鸡肠 两面三刀

（略）

P25

狂 雨 吹 力 心 和

（从左到右）门 大 继 异 遍 广 诚

P26

贻笑大方 这个是贬义词

竹 门 斗 大 机 面

P27

至 上 息 关

春:鸟语花香 夏:骄阳似火 秋:金风送爽 冬:天寒地冻

P28

滴水 水滴 水落 流水 车水 杯水 覆水 水深 近水 混水 水月

天长地久别重逢凶化吉星高照

P29

DBAC

东 勇往 分 累 无 狐 事 天 直 饱经 多此 独占 大失 雪 水 高 临 所 如 背井

P30

龙 神 若 失 里

水落石出 唇齿相依 文武双全 门庭若市

P31

千里 = 千里 万里 > 寸 寸、尺 = 寸、尺 百里 > 十里 三丈 > 丈二

天高地厚德载物极必反复无常胜将军

P32

自拔 无微 仰、翻 包

马 羊 牛 狗 虎 鸡

P33

瑞雪 五 藕 藤、瓜 枣 瓜 栗 菜

有口难言 手到病除 一刀两断 家破人亡 眉来眼去

P34

三顾茅庐

曹植 项羽 廉颇 祖逖

P35

农夫 兔子 树桩 兔子 守在树桩旁 兔子撞上 无人耕作 荒芜了(答案不唯一)

涛、涌 魅 抽、搭 浊、清 家 澎湃 惺惺

P36

头 眼 嘴 肺 胆 尾 牙 血 肉 皮

郑 王 李 孙 陈 赵 杜 谢 马

P37

与下行对应,分别是:半夜三更 月白风清 旭日东升 烈日当空 日上三竿 秉烛待旦

百,十万,千,九十,十 十,五,二,百,十

P38

草木 了事 草 寸草 草 结草 打草 劲草 绿草 异草 斩草 长

上条:实 是 今 比 力

下条:下 例 事 半 疑

P39

第一关:信,果 刺 休 一,二 一时 志

第二关:泰山 真金 渔翁 动土 风云 绝人

第三关:略同 闻、见 其极 一役 五十 心死

P40

龙蛇 藏龙 龙潭 龙争 好龙 生龙

表里,师表 应有,必应 名不,有名

P41

凤毛麟角

龙争虎斗 龙腾虎跃 虎踞龙盘 生龙活虎 藏龙卧虎

虎步龙行

P42

小狐狸,绵里藏针

朋:高朋 朋 朋 朋比

林:枪林 森林 林林

从:从长 是从 从 从善

羽:羽扇 羽翔 羽、归 羽

P43

BCDA

P44

二 合 珠

酒肉 鱼米 茶、饭 酒、肉 五谷 瓜 果 春笋

P45

狼 鼠 狗 牛 虎 蛇 兔 羊

右(成语:欣喜若狂)

P46

万里 悦色 道远 沧、一 秀外 之 大智 高悬 之志

日 星 星 异

P47

白 赤 绿 黄 紫

风吹草动

P48

指手画脚 偷天换日 下落不明 随声附和

头、面 改头换面 死、活 死去活来 近、远 舍近求远

P49

滥竽充数

车水马龙 一日三秋 一刻千金 一叶知秋 一曝十寒

P50

半 解 无 二 时 挑

敲、击 共 拍、称 前、后 腔、调 去、存

P51

第一组:桃花 桂 梅

第二组:莲花 昙花 芙蓉

第三组:黄花 兰、蕙 兰、菊

语文 数学 生物 地理

P52

狐假虎威

地 多 新

P53

发 强 难 分 争 利 失 助 乐

花落去 一点通 用武 醉翁 三宝殿 强将 大谋 天子 黄河 余 新官 雷池

P54

自知之明 海阔天空 冷语冰人 日月如梭 近水楼台
一失足成千古恨 山重水复 柳暗花明 行成于思

P55

与右栏对应，分别是：焚琴煮鹤 人琴俱亡 一琴一鹤
对牛弹琴 琴瑟之好 琴心剑胆 琴棋书画

P56

花：出水芙蓉 兰质蕙心 昙花一现
树：松柏后凋 百步穿杨
草：良莠不齐 芳草萋萋
果：桃李满门 望梅止渴 囫囵吞枣
珠→株 拨→拔 是→事 声→胜 带→戴 振→震
梦→焚 矛→茅 宠→庞

P57

第一章：头 脸 面 齿 眉 鼻 口 耳、目
第二章：胸 臂 脚 足 手 手、脚
第三章：毛骨 肤 皮、肉 血 第四章：心 肝 胆 肠

P58

工人 律师 医生 教授 导游 法官
恩将仇报仇雪恨之入骨肉相连绵不绝处逢生生世世态炎凉

P59

与谜语对应，分别是：忘年交 闭门羹 掉书袋 东道主
莫须有 破天荒 杀风景 势利眼
天南地北 南辕北辙 南腔北调 山南海北 走南闯北
南征北战

P60

出 众 任 飞 行
上蹿下跳 左思右想

P61

牛 鼠 兔 虎 羊 鸡 猴 狗
乐 空 知

P62

口 喜出望外
①草 虫 鸟 鹰
②草 兔 狐 狼

P63

天涯海角 不毛之地 天壤之别 晴天霹雳 一字千金
一手遮天 一览无余 一本万利

P64

与右栏对应，分别是：手舞足蹈 爱不释手 得心应手
举手之劳 眼疾手快
煮豆燃萁

P65

十 五 二 六 四 九十 十 十 一 九
五、十 一日 万、一 百、一 无、有

P66

明察秋毫→洞若观火 改天换地→扭转乾坤 人云亦云→随声附和 狐假虎威→狗仗人势 棋逢对手→势均力敌 满腹经纶→学富五车 望梅止渴→画饼充饥

旗开得胜→马到成功

P67

勤学苦练

班(鲁班) 夜郎(夜郎王) 纣(商纣王) 孟母 毛遂

P68

信口雌黄 只有这个成语是贬义词。

海 双 人 下

P69

事 成 一 意 尽 万 众

道 一、二 无双 云、云

P70

金 玉 宝 珠

春 秋 夏 冬

P71

左上"新",右上"年",左下"快",右下"乐"。

P72

松 凋 茂 成 势 马 妻 望 骨

shǔ,shù chèn,chēng dǒu,dòu dù,duó dāng,dàng

fā,fà fēn,fèn guān,guàn

P73

鲜 知 言 物 反 事 躬 亲 为 人 心 正 坐 机

繁星 流星 斗、星 星罗 月、风 日 月、星 星、月 日月

P74

安 清 马 车

矛盾 采 乐业 生

P75

形单影只言片语重心长驱直入乡随俗

第一关:臂 掌 臂 脚 掌 足

第二关:手、脚 手、脚 眼、手 头、脚 手、脚 头、腰

P76

第二只,贼眉鼠眼

风 雨 电 雷 风 日 风 雨 烟 雾 云 日

P77

开 公 阿 承 后

第一组:看 看 看

第二组:观 观 观

第三组:见 见见

第四组:视 视 视

第五组:眺 瞻 望

P78

与右栏对应,分别是:眉飞色舞 眉清目秀 眉开眼笑

迫在眉睫 扬眉吐气

囫囵吞枣

P79

望梅止渴 曹操

狡兔三窟 兔死狐悲 守株待兔 兔死狗烹

P80

五 八 三 一 三 八 583138

准备应战:兵 马 厉 鼓 战争策略:营 度 东 战争

进行时:林 天 影 战败:奋 四 涂 战胜:神 破竹 百

P81

第一组:EBCAD 第二组:废寝忘食 解衣推食 食不甘味 饥不择食 箪食壶浆

P82

李白 陆游 王勃 李益

岂容 小人,君子 州官 事,器 立,废 愿者

P83

黄鹂鸟:自以为是 自命不凡 目中无人

蜗牛:坚忍不拔 笨鸟先飞 将勤补拙

励→厉 头→投 急→及 斜→邪 复→覆 坚→艰

撤→辙 座→坐 克→刻 词→辞 毫→豪 胜→盛

P84

白日依山尽,黄河入海流,欲穷千里目,更上一层楼。

P85

第一组:起 升 曼 歌 蹈 善 鼓

第二组:鼓 飞 凤 鸡 弄 爪 徇

镜 烛 花 日 云 灯

P86

天 漫 野 勃 怒 冠 望 穿

第一组:黑 漆黑 黑 早、黑

第二组:白 白 大白 白

第三组:泾渭 混 纸 水

P87

跟上行对应,分别是:走马观花 汗马功劳 一马平川 一马当先 单枪匹马 心猿意马

西安 济南 合肥 南宁 长春 贵阳 海口 长沙

P88

鱼 羡鱼 求鱼 而渔 鱼 鱼目 鱼 鱼龙 鱼

紫 灰 碧 黑 白 紫、红 青 紫、红 黄

P89

七上八下 举重若轻 眼高手低 旗鼓相当

愚公移山

P90

C.固若金汤

无独有偶 丢三落四 得寸进尺 不三不四

P91

异、同 近、远 天、地 死、归 花、草 细、长 牙、爪 刺、背

P92

桃花 目 唇 冰 花 鱼

左右为难

P93

五 经纶 古 文 文 连珠 高远 谈 娓

白白 火火 艾艾 正正 大大 扬扬 风风 反反 服服

鬼鬼 烈烈 踉踉 清清 马马

P94

独 人 相 笑 不 中 全 切 眼 眼 金 去 目 琅 如

七、八 欢、散 顾、盼 名、实

P95

早晨:旭日东升 雄鸡报晓 日上三竿 中午:艳阳高照 烈日当空 骄阳似火 晚上:月落乌啼 繁星满天

处心积虑 这个词是贬义词

P96

白 喜 饥 明 梦 红 生 下 就 丝 旧 信

小、大 如、口 鱼、水 古、今

P97

车水马龙

合作：牛、蛇 鼠、鸡 虎、熊 龙、虎 狐、狗 龙马 獐、鼠 莺、燕 对抗：鹤、鸡 鹬蚌 羊、狼 鸡、猴 狐、虎

P98

一 二 三 四

妙，女，少 息，自，心 闻，门，耳 默，黑，犬

P99

神，化→出神入化 赞，绝→赞不绝口 安，若→安之若素 扣，心→扣人心弦

一 二 三 四 五 六 七 八 九 十

退避三舍 一马当先 四面楚歌

P100

软、硬 得、失 往、正 少、多 上、下 杯、车 东、西 来、去 三、四 衣（一）、食（十） 上、下 方、计

P101

曲目：曲 曲 伴奏：板 板 弦 弦 弦 主唱：唱 唱

狼 电 刀 鱼 鼠 雀

P102

木：入 求 接 舟 就 树：玉 火 别 森林：枪 林 森

用之不竭尽全力所能及时行乐

P103

磨杵成针 李白

才识过人 这个成语是褒义的。

P104

左：眼 耳 鼻 右：眉 嘴

喜出望外

P105

过河拆桥

瓜 李 橘 瓜 桃 桃、李 桃 枣 梨 桃李

P106

买椟还珠

海口 长安 洛阳 大兴 邯郸 桃源 长治

P107

工＋料→偷工减料 目＋人→目中无人 言＋喻→不言而喻 风＋正→风华正茂

精卫填海

P108

征、战 声、击 顾、盼 七、八

惊 海 前 居 上 心 论 风

P109

第二个小孩儿 暴跳如雷

飞流直下三千尺，疑是银河落九天。

图书在版编目(CIP)数据

儿童成语知识大全. 成语游戏 / 龚勋主编. —汕头：
汕头大学出版社，2011. 9
ISBN 978-7-5658-0370-3

Ⅰ. ①儿… Ⅱ. ①龚… Ⅲ. ①汉语—成语—儿童读物
Ⅳ. ①H136.3-49

中国版本图书馆 CIP 数据核字(2011)第 177282 号

儿童成语知识大全

成语游戏

总策划	邢 涛	开 本	889mm×1194mm 1/24
主 编	龚 勋	印 张	20
责任编辑	胡开祥	字 数	150 千字
责任技编	姚健燕	版 次	2011 年 9 月第 1 版
文字编辑	钱 丹 杜富中 王 瑛	印 次	2012 年 3 月第 2 次印刷
装帧设计	欧 娟 孟 娜	定 价	198.00 元(全四册)
出版发行	汕头大学出版社 广东省汕头市汕头大学内	书 号	ISBN 978-7-5658-0370-3
邮 编	515063		
电 话	0754-82903126		
印 刷	廊坊市兰新雅彩印有限公司		

● 发行：广州发行中心 通讯邮购地址：广州市越秀区水荫路 56 号 3 栋 9A 室 邮编：510075
电话：020-37613848 传真：020-37637050